最強出涸らし皇子の
暗躍帝位争い
無能を演じるSSランク皇子は皇位継承戦を影から支配する
2

「僕の名前はレオナルト・レークス・アードラーと申します。
此度、ロンディネ公国への全権大使に任じられました」
アルノルト・
レークス・アードラー

「五十点ね。アルならそんな風にはしないわ」
「難しいなぁ……」
レオナルト・レークス・アードラー
エルナ・フォン・アムスベルグ

「星の聖剣よ……その力を解放せよ……
我が敵を打ち滅ぼすために‼」
光が聖剣の刃に集束していく——
それはもはや太陽に近いほどの圧倒的光量だった。

最強出涸らし皇子の暗躍帝位争い2

無能を演じるSSランク皇子は皇位継承戦を影から支配する

タンバ

角川スニーカー文庫

21926

Contents

目次

口絵・本文イラスト：夕薙
デザイン：阿閉高尚（atd）

皇族紹介

皇帝

† ヨハネス・レークス・アードラー

† ヴィルヘルム・レークス・アードラー

第一皇子。三年前に27歳で亡くなった皇太子。存命中は理想の皇太子として帝国中の期待を一身に受けており、その人気と実力から帝位争い自体が発生しなかった傑物。ヴィルヘルムの死が帝位争いの引き金となった。

† リーゼロッテ・レークス・アードラー

第一皇女。25歳。

東部国境守備軍を束ねる帝国元帥。皇族最強の姫将軍として周辺諸国から恐れられる。帝位争いには関与せず、誰が皇帝になっても元帥として仕えると宣言している。

† エリク・レークス・アードラー

第二皇子。28歳。

外務大臣を務める次期皇帝最有力候補の皇子。文官を支持基盤とする。冷徹でリアリスト。

† ザンドラ・レークス・アードラー

第二皇女。22歳。

禁術について研究している。魔導師を支持基盤とする。性格は皇族の中でも最も残忍。

† ゴードン・レークス・アードラー

第三皇子。26歳。

将軍職につく武闘派皇子。

武官を支持基盤とする。単純で直情的。

† トラウゴット・レークス・アードラー

第四皇子。25歳。

ダサい眼鏡が特徴の太った皇子。

文才がないのに文豪を目指している趣味人。

† 先々代皇帝
グスタフ・レークス・アードラー

アルノルトの曾祖父にあたる、先々代皇帝。皇帝位を息子に譲ったあと、古代魔法の研究に没頭し、その果てに帝都を混乱に陥れた“乱帝”。

† アムスベルグ勇爵家

五百年ほど前に大陸を震撼《しんかん》させた魔王を討伐した勇者の血筋。帝国貴族の中で最も上位の存在であり、皇帝にしか膝を折らない。勇爵家の中でも才あるものだけが、伝説の聖剣・極光《アウローラ》を召喚できる。帝国を守護することを自らの役割とし、基本的に政治には参加していない。

† ルーペルト・レークス・アードラー

第十皇子。10歳。
まだ幼く、帝位争いには参加していない。性格は気弱。

† クリスタ・レークス・アードラー

第三皇女。12歳。
ほとんど感情を表に出さず、アルやレオといった特定の人間にしか懐かない。

† ヘンリック・レークス・アードラー

第九皇子。16歳。
アルノルトを見下しており、レオナルトにはライバル心を燃やしている。

アードラシア帝国の皇帝。十三人の子供たちに帝位を争わせ、勝ち抜いた皇子に皇帝位を譲ろうとしている。広大な帝国を統治し、隙あらば領土を拡大してきた名君。

† レオナルト・レークス・アードラー

第八皇子。18歳。

† アルノルト・レークス・アードラー

第七皇子。18歳。

† コンラート・レークス・アードラー

第六皇子。21歳。
ゴードンの同母弟。直情的なゴードンの弟にも拘らず、性格はアルノルトに似ている。

† カルロス・レークス・アードラー

第五皇子。23歳。
優秀と評されたことも、無能と評されたこともない平凡な皇子。
しかし能力に反して夢見がちで英雄願望を持ち合わせている。

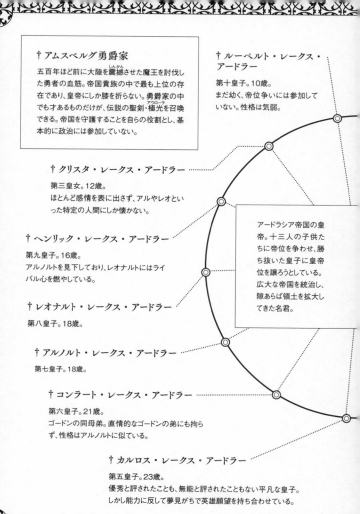

第一章　帝都暗闘

Episode 1

1

騒動から二週間ほどが経《た》った。混乱が大きかったため帝位争いに目立った動きはない。

そんな中、俺とレオは二人そろってとある場所を訪れていた。

そこの名は後宮。皇帝の妃《きさき》たちが住む場所だ。

帝剣城の後ろにあるそこは、皇帝と皇帝に許可された者しか足を踏み入れることはできない女の宮殿だ。

ここに俺たちがやってくる理由は一つしかない。母に会うためだ。

会うのはいつ以来だろう。三か月ぶりくらいかもしれない。まぁ久々なのは俺だけだけど。レオは暇を見つけては会いに来ているそうだ。まめなことだ。

「母上、アルとレオがご挨拶に参りました」

「いらっしゃい。お菓子を焼いたわ。食べていきなさい」

この後宮において、久々に会った息子にそんなフランクな言い回しをするのはこの母くらいだろうな。

名はミツバ。長い黒髪に黒い瞳。二人の大きな息子がいるとは思えないほど若々しく美しい。本人いわくそこらへんは気を遣ってるらしい。

東方出身の踊り子で、その美貌に惚《ほ》れてしまった父上がその場で求婚した伝説の踊り子だ。今でも帝都ではその話が好まれる。

まぁ伝説なのはその求婚への切り返しが、子供の教育に口を挟ませませんが構いませんか？ という常軌を逸したものだったからなんだが、まぁこの母らしいといえばこの母らしい。

実際、この母は教育に関して一切、皇帝に口を挟ませなかった。

おかげで俺みたいなのが出来上がったわけだが、レオは立派になったしトントンといったところだろう。

俺たちは用意されていた机に腰かけ、お菓子をつまむ。すると。

「そういえば久々ね。アル」

「ええ、お久しぶりです。母上」

「久しく顔を見せてなかったのは遊ぶのが楽しかったせい？ それとも恋人でもできた

の？」

「前者ですね」

「面白味《おもしろみ》のない答えね。あなたたち二人は女っ気がなさすぎるわ。浮いた話くらい母に聞かせなさい」

ときおり、この人は自分の息子が皇子だということを忘れてるんじゃないかと思えるときがある。

俺はともかくレオに恋人がいたら一大事だ。家柄から何から調べなきゃ駄目になる。

まぁそういうところを一切気にせず、普通の子供として育てられたのが俺たちというわけだ。必要最低限の礼儀作法なんかは教えられたが、強制的に教えられたのはそれくらいだ。

この人の教育方針は、子供がやりたいならやらせる、だった。こんな母だから家庭教師の授業がつまらなくて逃走しても怒られることはなかった。ただ、将来必要だと思ったら勉強しなさいと毎回言われるだけだった。

今考えると恐ろしい。皇子の教育を何だと思っているのやら。

自主性に任せた結果、兄はぐうたら、弟はきっちりと育ったわけだ。完全に性格が出たと言えるだろうな。

「それはそうと、二人で改まって来た理由はなにかしら？」

「母上。この度、僕が全権大使に、兄さんがその補佐官に任じられました。おそらく近いうちに国を離れることになるかもしれません。そのご報告に参りました」

「あら？　そうなの？　じゃあ私、お土産なら食べられるものがいいわ。置物とかもらっても困るもの」

「はぁ……」

よくもまぁこんな性格なのに後宮内で生活できるな。

現在、後宮内も勢力争いの最中だ。自分の子供を皇帝につかせたい母親たちが陰謀を企てているらしい。後宮をまとめる皇后と皇帝の目があるため、そこまで表立って動くことはないが慎重な立ち回りを要求される場所であることは間違いない。

「母上、あの……心配ではないのですか？」

「心配してほしいの？　レオも子供ねぇ。もう十八の子供にあれこれ言う気はないわ。陛下があなたたちに仕事を任せたなら、できると判断したからよ。私はその判断を信じるわ」

「そうですか……では僕も自信をもって仕事に当たります」

「俺はついでに指名されたようなもんなんで、適当にやります」

「好きになさい。失敗しても殺されはしないわ」

紅茶を飲みながらそんなことを母上は言った。ほかの人なら絶対に失敗は許されないとか、陛下へのアピールチャンスとか言うんだろうに。

　そんなことを思っていると部屋の扉をノックする音が聞こえてきた。

　母上が返事をすると、扉が開く。そしてひょっこりとクリスタが顔を出した。

「あら、クリスタ。いらっしゃい」

「お母様！」

　いつもは見せない明るい表情でクリスタは母上のところに駆け寄ると、座っている母上の膝の上に乗った。

　小柄なクリスタは母上の膝で安定すると、机の上にあるお菓子をじっと見続ける。

　一応、俺たちのために用意されたものだという意識はあるらしい。

「食べていいわよ。アルもレオもあんまり食べないから」

「ホント？　アル兄様、レオ兄様」

「ああ、いいぞ。好きに食べろ」

「僕はもうちょっと食べようかなぁ。一緒に食べようか、クリスタ」

「うん！」

　そう言ってお菓子に手を伸ばすクリスタは本当に落ち着いている。まるで本当の母親のところにいるみたいだ。クリスタの母はクリスタが幼い時に亡くなっている。そのときにクリスタを育てると言ったのが母上だった。

それ以来、クリスタは母上を本当の母のように慕っているし、俺たちもその関係で懐かれているというわけだ。

「そういえばエルナが挨拶に来たわ。アルについて謝っていたけれど、なにかしたのかしら？」

「ええまぁ、余計なことをしてくれましたね。おかげで補佐官なんて面倒事を任されてしまいました」

「兄様は面倒くさがり……めっ！」

クリスタがうさぎのぬいぐるみの腕を俺に向けてくる。

どうやらぬいぐるみが叱っている設定らしい。顔をしかめると全員が笑う。

そんな穏やかな時間はすぐに過ぎ去った。もうそろそろお暇《いとま》するかと思ったとき、母上が唐突な質問をしてきた。

「そうそう。聞いておこうと思ってたのよ」

「なんです？」

「蒼鷗姫《ブラウ・メーヴェ》はどちらの妃になるのかしら？」

「「ぶっ!!」」

俺とレオは二人して同時に紅茶を噴き出してしまった。

むせながらクリスタが差し出したタオルで口を拭く。いきなりなんだ、この母親は。

「フィーネさんはそういう相手ではありませんよ、母上……」

「でも女性をさん付けなんて珍しいじゃない。さてはレオのほうが優勢なのかしら？」

「まぁ民の間じゃお似合いって言われてるしな」

ここぞとばかりにレオに押し付ける。

レオが裏切ったな⁉　と言わんばかりの顔をするが、こんな面倒な話に関わるのはごめんだ。

さっさと立ち去ったほうがいいなと思っていると、思わぬ伏兵が俺の邪魔をしてきた。

「お母様。フィーネはアル兄様のお友達」

「まぁ！　そうなの？」

「そう。フィーネはすっごく綺麗《きれい》で、アル兄様とお似合い」

「あらあら」

「いやいや……」

あなたも隅に置けないわね、みたいな視線を向けてくる母上に俺は困惑する。

よくもまぁ小さな女の子の話を鵜呑《うの》みにできるな。フィーネと俺がお似合い？　帝都でそんな話をしたら笑われるぞ。

「クライネルト公爵との関係で一緒にいる時間が長いだけです。何もありませんよ」

「それでも帝国一の美女よ？　ねぇ？　クリスタ」

「うーん……お母様のほうが美人！」

「ありがとうークリスター。母もクリスタが一番美人だと思うわー」

なぜか抱き合う二人を見て、俺はため息を吐《つ》くと立ち上がって一礼してその場を後にする。

「もう行くの？」

「だいぶいたからな。今日は人と会う予定もある。お前はもうちょっといてやれ」

「アル兄様、またね」

「ああ、またな。母上も」

「ええ。体に気をつけなさい。あなたはいつも無理をするんだから」

「無理なんてしたことは人生で一度もありませんよ。適当に生きてきましたから」

「そう？　まぁそういうことにしておくわ。それじゃあ頑張りなさい」

そう母に送り出された俺は後宮を出るとひとつ気合を入れた。

まだまだこれからと思えたのだ。あの空間を保つためだ。休んではいられない。

「セバス」

「はっ」

「中立貴族の弱みを探れ。帝都にいる間にできることはやっておくぞ」

「かしこまりました」

こうして俺の暗躍はまた再開したのだった。

2

「御機嫌よう。ベルツ伯爵」

「これはアルノルト皇子。今日はどのようなご用件でしょうか？」

帝都に住むベルツ伯爵は領地を持たない宮廷貴族だ。

代々、帝国の要職についてきており、ベルツ伯爵も副工務大臣として土木や治水に助力している。

そんなベルツ伯爵は一貫して帝位争いから距離をとっていた。帝位争いに直接影響を与えられる役職でもないため、ほかの三人も積極的に取り込むことはなかった。

そんなベルツ伯爵の屋敷に俺が赴いたのは、とある噂《うわさ》を耳にしたからだ。

「実はある噂を耳にしてな」

ベルツ伯爵は三十代の男だ。髪は禿《は》げており、気弱そうな外見と相まってこれまで女性に見向きもされなかった。しかし、数年前にようやく縁談がまとまった。もともと名家を継ぎ、副大臣になった有能な男だ。探し方さえ間違えなきゃ嫁などいくらでもいる。

ただし、この男は嫁の探し方を間違えた。

「う、噂でございますか……？」

「ああ、あくまで噂だ。実はベルツ伯爵の奥方が毎晩毎晩、派手に遊んでいるとか。まるで皇族のような遊び方で、どこから金が出てくるのか不思議だと皆、噂しているのを耳にしてな」

「そ、それは……誇張です。妻はたしかに遊び好きですが、皇族の方たちのような遊び方など、とてもとても……」

　ベルツ伯爵は焦った様子でハンカチで額の汗をぬぐう。これはセバスの調べた情報は間違いないみたいだな。

　セバスの調べじゃこのベルツ伯爵は知人に妻への不満を口にしているらしい。その不満は過激らしく、別れたい、それができないならば自殺したいという内容だったそうだ。

　行動から推理するならば妻の派手な遊びが嫌なんだろう。問題はこの男がどこまでやっているのか。

「ベルツ伯爵」

「は、はい！」

　声色を変え、鋭く睨《にら》むとわかりやすいくらいに背筋を伸ばした。

　これは後ろめたいからなのか、それとも生来の気性なのか。どっちだろうな。

「こういう噂もある。あなたが国の金を利用しているのではないかと」

「そ、そのようなことは断じてしておりません！　私は帝国に忠実な臣下として常に職務に励んでまいりました！　どうか信じてください！」

「そう言われてもな。今回、俺がやってきたのはその噂が城までやってきたからだ。父上の耳に入れれば大事だぞ？　その前に収拾したい」

サーっとベルツ伯爵の顔から血の気が引いていく。

わかりやすい男だな。ただ気が弱いだけかもしれないが、皇帝に知られたくはないと思っているみたいだ。これは期待できるか？

「で、殿下！　どうかお力添えを！　私を助けてください！」

「犯罪者を助けるつもりはない。俺はもちろんレオもな」

「わ、私は本当に国のお金に手をつけてはいません！」

「ではどこから金を工面している？　伯爵の給料で妻の遊びを維持するのは不可能なはずだが？」

「さ、最初は貯蓄があったので大丈夫でした……。ただそれもすぐに切れ、私は知人たちに借金をし、そして最近では商人にまでお金を借りております……知人たちに申し訳なく、商人への返済期限も迫っており、私はどうすればよいのか……」

どうしてそんな女と結婚したのやら。

ひどく失礼なことを考えていると、部屋の扉が乱暴に開けられた。

「あなた！　今月のお小遣いが少ないんだけど⁉」

「べ、ベティーナ⁉　出ていきなさい！　皇子と大事な話をしている！」

入ってきたのは金色の髪の派手な美女だった。年は俺と変わらないか少し上くらいか。三十代の男の妻にしては若い。

着ている物も派手だ。後宮でよく見かけるドレスを着ているし、身に着けている貴金属もすべて本物だ。

こりゃあ別れたくもなるな。

「皇子？　誰よ、あなた？」

「こ、こら⁉」

「アルノルト・レークス・アードラーだ。お邪魔している。ベルツ夫人」

「アルノルト？　ああ！　出涸《でが》らし皇子？　ホルツヴァート公爵家のご子息が話してたわ。弟に良いところをすべて吸い取られた情けない皇子。無能だそうね？　それが我が家に何の用？」

「……」

ベルツ伯爵は絶句している。

まぁそれは俺も一緒だ。ここまで大っぴらに俺を笑いものにするのはギードくらいだ。そのギードがしているから自分もしてもいいって思ってるんだろうが、ギードは幼《おさな》馴染《なじみ》で公爵家の息子だ。立場が違う。

ああ、この女、馬鹿だ。そう確信した俺はベルツ伯爵に同情した。

「さ、下がってなさい……」

「は？　あたしに命令するの？」

「いいから下がっていなさい!!」

おそらく初めての激昂《げきこう》だったのだろう。

面食らったベティーナは不快だといわんばかりに顔を歪《ゆが》めて部屋から出ていった。

「妻の御無礼《ごぶれい》をお許しください！　殿下！」

「別に気にしてない。慣れてるからな。しかし、衝撃的な奥方だな」

「……妻が私のところに来たのは十七のときでした。地方貴族の娘だった妻は美人と有名で、私も会うなり一目ぼれしてしまい、さまざまな贈り物で結婚まで取り付けました。その後も嫌われたくない一心で望む物を与えていたのですが、どんどんエスカレートしていき、今では自分が皇族か上級貴族と勘違いしているような状況でして……」

「間違いなく奥方が悪いと思うが、増長させたあなたの責任でもある。夫であるならば叱責し、行いを改めさせなければいけなかった」

「はい……おっしゃるとおりです」

完全に心が折れているんだろうな。

項垂《うなだ》れているベルツ伯爵の姿には悲愴《ひそうかん》感が漂っている。

さて、どうするべきか。ここからはちょっとプランの変更が必要だぞ。

当初はちょっとずつ伯爵の信頼を獲得していく予定だったが、このまま放っておくとすぐに自殺しかねない。

仕方ないか。

「離婚を切り出せないのは自分から妻にと申し込んだからか？」

「それもありますが……結婚のご報告を皇帝陛下にした際、大層喜んでくださりまして……いくつかお祝いの品もいただきました」

「なるほど。それは離婚しづらいな」

俺がベルツ伯爵に目をつけたのは妻という弱みがあるからだけじゃない。

父上がベルツ伯爵をとても買っているからだ。

おそらく将来の工務大臣にと思っているはずだ。職務に忠実で、余計な遊びをしないベルツ伯爵は使う側からすれば信用しやすいしな。

そんなベルツ伯爵の現状を知れば皇帝も離婚をすすめるだろうが、そんなこと臣下の身分じゃわかるわけがないか。

ここは間に立つ者が必要だ。

「ベルツ伯爵。あなたも馬鹿じゃないはずだ。俺がここに来た理由はわかるな？」

「は、はい……私をレオナルト皇子の勢力に加えるためですね？」

「ああ。できればもう少し時間をかけて、あなたが信用できるか確かめたかったが……時間をかけているとあなたの身が持たなそうだ。レオに頼んであなたの現状を父上に伝えてもらおう。そして父上の反応が離婚に傾いているならすぐに離婚しろ。奥方の実家にも手紙を書くから安心しろ」

「ほ、本当でございますか⁉」

まるで救い主を見るようなまなざしでベルツ伯爵は俺を見てくる。どんだけ追い詰められていたんだよ。

まぁ若干身勝手ではあるが、これも帝位争いのためだ。奥方には涙を飲んでもらおう。どちらも自業自得といえば自業自得だ。ただベルツ伯爵は利用価値があり、奥方にはない。しかし、どうやってレオに説明するかなぁ。あいつのことだ。話し合ったほうがいいとか言い出すだろうな。

ただあのきつい奥方をレオに見せるのは遠慮したい。女にトラウマを持ちかねない。

「ベルツ伯爵。申し訳ないがレオに向けて嘆願の手紙を書いてもらえるか？」

「て、手紙でございますか？」

「ああ、今すぐだ。そっちのほうが説得しやすい」

「説得？」

「レオは人が良いからな。俺が話しただけだと、あなた方の間を取り持とうとするかもしれない。それはあなたにとっても不本意だろ？」

「は、はい！　すぐに書きます！」

俺に促されるままにベルツ伯爵はレオに嘆願の手紙を書き始めた。

帝都の貴族に生まれ、順調に出世したエリートだってのに女一つでここまで惨めになるもんか。

やっぱり嫁選びは慎重にしなくちゃだな。

一瞬、近くにいる女、フィーネとエルナが頭によぎる。

二人が妻になる想像をして、俺はげんなりとした。どっちが妻になってもいろんな気苦労がありそうだ。やめておこう。

俺は何もかも普通の女性がいい。

「で、殿下、これでよろしいでしょうか……？」

「どれどれ？」

俺は手紙を見て顔を引きつらせる。

そこに書かれていたのは妻の悪行を訴える文だった。文字ごしでも妻への不満がよく伝わってくる。

もはや呪詛《じゅそ》に近いそれを見ながら、俺はため息を吐《つ》いた。

「俺たちに協力したあとはハニートラップに気をつけろ」

「は、はい！　もはや女にうつつは抜かしません！　誠心誠意、レオナルト皇子とアルノルト皇子にお仕えいたします！」

「勘違いするな。俺たちは協力してもらうだけだ。あなたの主《あるじ》は皇帝陛下だ。俺たちじゃない」

「こ、これは失礼いたしました……」

こういうところは釘《くぎ》を刺しておかないとな。

レオを主のように振舞われると余計な隙を敵に見せることになる。そういうところは極力なくしていきたい。

「では手紙は預かった。数日で結果は伝えるから待っていろ」

「はい！　よろしくお願いいたします」

そうして俺はベルツ伯爵の屋敷を後にした。

屋敷を出るときに遠目から奥方がベルツ伯爵を睨んでいたが、まぁあと数日の辛抱だ。

結局、その後レオに手紙を見せたところ、この人はなぜ結婚したの？　という当然の質問が返ってきた。まぁそんなレオを説得して、父上に現状を伝えるとすぐに離婚させろと父上は言ったためベルツ伯爵の離婚は手早く進んだ。

父上としても将来の大臣候補を地方貴族の娘に食い潰されてはたまらないだろうしな。

こうしてベルツ伯爵が加わり、少しだけレオの勢力は大きくなったのだった。

3

「良かったのですか？」

ちょっと書類をまとめなければいけなかったため、部屋でそれをしていると紅茶を淹《い》れていたフィーネから雑な質問が飛んできた。

「なにがだ？」

「ベルツ伯爵をお味方に加えて、です。たしかに同情できる部分はありますが、自業自得であることは否めません。若い妻に自分で多くのモノを与えたあげく、制御できなくなれば離婚というのは……女の身としては納得しかねます」

「まぁそこだけ見ればベルツ伯爵は最低な男だけどな」

「ほかに見方があるのですか？」

こうも直接言ってくるあたり、相当不満なんだろうな。まぁ愛を語ったのに、面倒になったら斬り捨てたと取れなくもないからな。女からすれば不満だろう。

しかし、この問題は二人だけの問題ではない。

書類をまとめながら俺は説明する。

「ベルツ伯爵の元妻ベティーナの生家は南部の貴族であるダウム伯爵家だ。このダウム伯爵家は南部最大の貴族であるクリューガー公爵家の縁戚だ。名前は聞いたことあるか？」

「もちろんです。たしか皇帝陛下の妃《きさき》のお一人もクリューガー公爵家のお出だったはずでは？」

「ああ、第五妃は現クリューガー公爵の妹だ。つまり皇族ともかなり親交のある公爵家ということだな。さてここで問題。第五妃の子供は誰でしょうか？」

俺の問題にしばし考えたあと、フィーネは思い出したように手を叩《たた》く。

しかしすぐに自信なげに答えた。

「ザンドラ皇女殿下と……」

「第九皇子だな。今は弟のほうは関係ない。大事なのはベティーナはザンドラと繋《つな》がりがあるっていう点だ」

「繋がりですか……？　といっても母親の実家の縁戚というのはそこまで深い繋がりではないと思うんですが？」

「普通はな。けど、今回はちょっと違ってくる。ところで、フィーネは俺たちのライバルたちがどういう支持基盤を持つか覚えているか？」

「あ、はい。エリク皇子殿下は文官、ゴードン皇子殿下は武官、ザンドラ皇女殿下は魔導師ですよね？」

一応覚えていたか。

まぁこれくらい覚えておいてもらわないと困るんだが。

正解と告げるとフィーネは、やりましたと大喜びする。ハードルの低い子だなぁと思いつつ俺は話を続ける。

「じゃあその中で一番〝帝都〟で弱い支持基盤はなんだと思う？」

「帝都ですか？　帝国ではなく？」

「ああ、帝都だ」

「えっと……一番強いのはどう見てもエリク殿下ですよね。だからゴードン殿下かザンドラ殿下ですけど……うーん、わかりました！　ゴードン殿下です！」

「理由は？」

「武官は前線にいますから、帝都では弱いのではないかと」

「考え方は間違ってないけど、不正解だ。前線に出ない武官もいるからな。正解はザンドラだ」

「あうう、駄目でした……。どうしてザンドラ殿下は弱いんですか？」

どうしたらわかりやすく説明できるか考え、俺は机に置いてあったお菓子を手に取る。

クリスタに好評だったせいだろう。今日のお菓子は動物型のクッキーだ。

ライオンと鳥、そして狼《おおかみ》のクッキーを取り、ライオンと鳥はそのまま俺の近くにあった皿の上に置き、狼のクッキーは砕いてその周りに散らす。

「あぁ……よくできましたのに……」

「それは悪かったな。さて、この皿にある二つがエリクとゴードンで、散らばったのがザンドラだ。言ってる意味わかるか？」

「？？？」

「わかってないな。オーケーだ。文官や武官は役職上帝都にいることが多い。だが魔導師というのは国の役職じゃない。もちろん役職者の中にもいるが、地方の貴族だったり国境の武官だったり、あちこちに点在しすぎなんだ」

「なるほど！　つまりザンドラ殿下の支持者は帝都にはあまり多くないということですね？」

「まぁそういうことだ。そんでもって、ここからが本題だ」

「え……？　今のが本題ではないんですか……？」

まだ難しくなるのかとフィーネが一歩引いて恐れおののく。

そんなフィーネに苦笑しつつ、俺はできるだけわかりやすい説明を心掛けた。

「簡単に話すさ。ザンドラはその支持基盤の関係上、二人に比べて国の重要役職に支持者が少ない。ゴードンは武官、エリクは文官を通じて自分の意思を皇帝に伝えられるのに、ザンドラにはそのパイプがないわけだ。これはザンドラからすれば困るだろ？」

「そうですね。重臣会議に参加できるレベルの支持者がいるといないとでは雲泥の差だと思います」

「そのとおり。だからザンドラはずっと自分の支持者を大臣につけようと画策してた」

「そのようなことが可能なのですか？　大臣の任命は皇帝陛下が決めることでは？」

「まぁやりようがあるのさ」

そう言って俺は皿に移したお菓子を今度は縦に重ねる。

それを見てフィーネが小首を傾《かし》げる。見慣れていない者が見たら、それだけで心を奪われてしまうほど愛らしい姿だ。ベルツ伯爵にはとても見せられないな。たぶんフィーネに結婚を申し込む。

だが、俺はそんな姿に惑わされず上に置いたライオンのクッキーを砕く。

「ああ⁉　また⁉」

「どうせ食べるんだからいいだろ？　これが自分が望む人間を大臣につける方法だ」

「どういう意味ですか？」

「じゃあ言い方を変えよう。さきほどのライオンが現職の大臣。下にあった鳥が大臣候補者だ。上のライオンが砕ければ鳥のほうに大臣職は転がってくる」

「なるほど！　大臣候補者を取り込んでおき、今の大臣を追い落とすということですね！」

なかなかに察しが良くなってきた。元々こういう謀略系統が苦手なだけで頭が悪いわけじゃないからな。たまに単純すぎて怖くなるけど。

「そういうこと。副大臣かそれに近い役職に支持者をつける、もしくは支持者に取り込む。そして上にいる大臣を追い落とせば大臣を勢力に取り込める」

「なるほど……それでそれがベルツ伯爵とどんな関係が？」

「はぁ……ベルツ伯爵の役職は？」

「副工務大臣……え⁉」

ようやくいろんな線が繋がったか。

まぁわりと複雑だし仕方ないか。

「ザンドラは母親の実家を通じて、ベティーナを操ってたのさ。ベティーナとしても豪遊しろっていう指示だからな。喜んで飛びついただろうさ。そしてザンドラは最近、ベティーナに新たな指示を出していた」

「まだあるんですか……」

「これが重要なのさ。ベティーナは現工務大臣と不倫していた。向こうから持ちかけた関係らしいが、まぁ誘惑したのはベティーナだろうな。そして工務大臣の妻は皇帝の友人の娘だ。二人を引き合わせたのも皇帝らしい。不倫したと知れば激怒するのは目に見えている」

「……まさか最初からすべて？」

「そうだ、ザンドラの筋書きだ。女に相手にされないベルツ伯爵に美女をあてがい、その美女で苦しめる。同時進行で工務大臣に工作を仕掛け、追い落とす準備をする。そして頃合いを見てベルツ伯爵を助け、工務大臣の不倫を皇帝に告げさせる。そうするとあら不思議。自分の支持者が大臣だ」

「ちょ、ちょっと待ってください！　そ、それじゃあ……」

まさかと言いたげな表情を浮かべるフィーネに俺はニヤリと笑う。

数年ごしの計画はご苦労なことだ。たぶん皇太子が亡くなった時点で動き始めたんだろうが、あと一歩で詰めをあやまったな。

「ああ、ザンドラの計画をそっくりそのまま奪った。今頃激怒してるだろうさ」

「そんな⁉　これからアル様とレオ様は帝都を離れるというのに、ザンドラ殿下を怒らせてどうするんですか⁉」

「俺たちが帝都を離れるからザンドラに仕掛ける必要があるんだ。帝都を離れる以上、攻撃されるのは避けられない。だが三勢力に攻撃されるとさすがに耐えきれない。しかし、三勢力の均衡が崩れたらどうだ？　俺たちに一発貰《もら》ったザンドラは大事な計画を失った。勢力に動揺が走るだろう。そこをエリクとゴードンは見逃さない。俺たちはいつでも仕留められるが、ザンドラは弱った今しか攻撃できない。俺ならザンドラの勢力を削《そ》ぎにいくな」

「そこまでお考えになっていたんですか……？」

「全部、セバスのおかげだ。重要な情報を暗殺者から引き出してくれたし、ベルッ伯爵の周辺もセバスが調べてくれた」

　ザンドラも馬鹿なことをする。

　ベルッ伯爵への工作に使った暗殺者を俺に差し向けるなんてな。おかげで向こうの計画は筒抜けになった。まぁ口を割るとは思ってなかったんだろうが、こっちを甘くみたな。

「あの……前から気になっていたのですがセバスさんは一体何者なんですか？」

「ん？　言ってなかった？　セバスは元暗殺者だ。しかも〝死神〟っていう異名で大陸全土に知られた凄腕《すごうで》のな」

「⁉　どうしてそんな人がアル様の執事をしているんですか⁉」

「それはまた今度な。長くなる。さて、ここまで聞いてもベルッ伯爵を助けたことに文句があるか？」

「い、いえ……」

「そうだよなぁ。たぶん女に相手にされないところ辺りもザンドラの工作だろうし。三年前からあの人は副大臣だからな。普通は女のほうから寄ってくる」

「なんだかとても可哀想《かわいそう》に思えてきました……」

「ああ、結婚から何まで数年単位で踊らされたわけだしな。そんな哀れすぎるベルツ伯爵を助けてやったというわけだ。まぁ利用するという点では俺たちも変わらないけどな」

そう言って俺は書類をまとめあげる。

工務大臣の不倫に関する書類だ。これをベルツ伯爵から父上に提出させる。

これでしばらくはザンドラとの暗闘だ。この機を逃さずゴードンは確実に動くだろうし、帝位争いはいよいよ激化する。

だが、それでいい。ゴードンはザンドラを目の敵にしているし、ザンドラの性格上、ゴードンにやられることだけは嫌がる。

二人が潰し合えば俺たちは得をするし、そういう状況である以上、エリクも積極的には動かない。

俺たちが帝都を離れている間に二人の勢力には疲弊してもらうとしよう。

そんなことを思いながら、俺は砕いたクッキーを口に含むのだった。

4

「これは本当のことか!?」

皇帝ヨハネスはベルツ伯爵が提出した資料を工務大臣に突きつける。

その瞳には怒りの炎が渦巻いていた。

自分の不倫が皇帝に知られた工務大臣はすぐさま膝をついて謝罪する。

「お許しを！　ほんの気の迷いなのです！」

「他人の妻に手を出すのは重罪だ！　大臣でありながら知らぬわけではあるまい⁉　しかも自分の部下の妻だぞ⁉　どういう了見だ⁉」

「そ、それは……。べ、ベティーナのほうから私にアプローチしてきたのです！　お許しを！　誘惑されたのです！　私は陥れられたのです！」

「誘惑されれば部下の妻とも関係を持つのか⁉　では我が妃《きさき》たちに誘惑されれば、お前は関係を持つのだな⁉」

「そ、そのようなことは……」

「同じことだ！　誘惑してきた女が悪いなどとよく言えたな⁉」

ヨハネスの怒りは収まらない。

工務大臣には長年にわたって仕事を任せてきた。友人の娘を妻にする仲介までしたにもかかわらず、このような形で恩を仇《あだ》で返されたことにはらわたが煮えくりかえりそうだった。

怒りが収まらない理由はそれだけではない。不倫した相手が信頼し、目をかけていたベルツ伯爵を苦しめた妻だということだった。

ベルツ伯爵に妻の調査を命じたのも皇帝だった。渋るベルツ伯爵に問題があれば自分が裁くと伝えたのは、それだけヨハネスがベルツ伯爵を買っていたからだ。

ザンドラの計画の大前提として、ヨハネスがベルツ伯爵を信頼しているという点があった。謀略を企て、上司を追い落とすような男ではないとヨハネスは思っているし、実際、ベルツ伯爵はそういうこととは無縁の男だった。

だからこそヨハネスの目には、〝工務大臣〟が自らの立場を守るために有能な部下の妻を使って追い詰めようとしたのではと映った。

そう思うだろうことはザンドラには予定通りだった。本来なら妻を使って工務大臣を追い落としたのでは？　と疑念を抱かれる状況だが、ヨハネスのベルツ伯爵への信頼とベルツ伯爵の性格がそこに目を向けさせない。

すでに妻によって苦しめられていたことを聞いていたヨハネスが、ベルツ伯爵に同情的だったというのもある。だからヨハネスの決断は早かった。

「貴様の工務大臣の任を解く！　自宅にて謹慎し、処罰を待て！」

「お、お許しを！　お許しを！　皇帝陛下!!」

「ベルツ伯爵を呼べ！」

怒り冷めやらぬといった様子でヨハネスは告げる。

少しして縮こまったベルツ伯爵がヨハネスの前にやってくる。

そして開口一番、ベルツ伯爵は謝罪を口にした。

「申し訳ありません！　元妻の失態は私の監督不足でございます！」

「ベルツ……何を言うのだ？　そんなことまでお前が責任を感じる必要はないのだ」

「し、しかし……」

「ワシはお前を信頼している。悪い女に騙《だま》されてしまうその純朴さを欠点というものもいるだろうが、ワシはそこを気に入っている。お前は真面目であり、仕事に熱心だ。前々からお前のような者に大臣職を任せたいと思っていた。どうか、工務大臣の後釜になってくれまいか？」

「そ、そのような大任はお受けできません！　私の妻が罪を犯したのです！　私を罰してください！」

「もはや妻ではあるまい。それに今回のことは工務大臣のほうに非がある。誘惑されたから不倫するなど許されることではない。そのことでお前を罰するつもりはないし、お前を誹謗《ひぼう》する者はワシが裁こう」

「へ、陛下……」

「改めて命じよう。ベルツ伯爵を工務大臣に任じる。今まで以上に国のために励むがよい」

「……この御恩《ごおん》は忘れません。ベルツ家の名にかけて大任を全うしてみせます」

そう言ってベルツ伯爵は工務大臣の職を受けた。

そんなベルツ伯爵にいくつか言葉をかけ、ヨハネスはベルツ伯爵を下がらせる。

すると玉座に腰を深く落として、息を吐く。

「いよいよ激化してきましたね」

「フランツか……」

許可もなく現れたのはヨハネスと同年代の男だった。

薄銀色の髪を持つその男は白い文官用の服を着ていた。それを着られる役職はこの帝国でただ一つ。

文官の長、宰相のみだ。

男の名はフランツ・ゼーベック。フォンが入らないことからわかるとおり、貴族の出ではない。その才覚のみで宿屋の息子から宰相の地位まで上り詰めた帝国一の出世頭だ。

そんなフランツにヨハネスは告げる。

「大臣の取り合いは帝位争いの常。それは今の大臣たちもわかっているはずだ。だからこそ、周辺に気をつけねばならない。誘惑されて部下の妻と関係を持つなど問題外だ。いずれ帝国に害をもたらす。今の内にすげ替えねばワシまで被害を受けかねん」

「その裁定には文句はありません。ただベルツ伯爵をそのまま大臣に据えるのはいかがなものでしょうか。今回のことには策謀の匂いがします」

ヨハネスがまだ皇子だった頃より参謀として付き従ってきたフランツの目には、ベルツ伯爵を取り巻く事柄は怪しさしか映らなかった。

あえて詳しく調べないのは、帝位争いへの干渉を禁じられているからだ。そうでなければ徹底的に調べ上げていただろう。

「策謀ならそれで構わん。ベルツには能力があるし、ベルツ自身が策謀を考えることはない。それなら任せて問題なかろう。それに策謀の一つもできぬ者に皇帝など務まらん」

「それは奇妙なことをおっしゃいますね？　陛下が皇子のときは私が策謀を担当したはずですが？」

「それはそれで皇帝に必要な資質だ。他人の才を見抜く力、他人に任せる力。どちらも皇帝には必要となる。ワシは早くにお前の資質を見抜いた。だから策謀はお前に一任したわけだ。おかげでここに座っている」

「ご冗談を。私がいなくとも陛下は玉座を手に入れたことでしょう。それだけ陛下は巧妙でした」

そう言ってフランツはしばし過去に思いをはせる。それはヨハネスも同じだった。

かつて自分たちが通った道を子供たちが通ろうとしている。それは血に濡《ぬ》れた道になる。それはわかっていてもヨハネスに止めることはできなかった。

あの帝位争いがあればこそ、今のヨハネスがある。そしてその経験が皇帝になったとき、存分に活《い》きてくるのだ。

帝国は強国とはいえ覇権国家ではない。ライバルはおり、その国と戦っていかなければいけない。だからこそ常に優秀で強い皇帝が必要になる。帝位争いはそれを選抜するためのものであり、皇帝になる前の練習なのだ。

それすら突破できないならば皇帝になる資格なし。それは皇族に代々伝わる伝統のようなものだった。

「かつて陛下は暗愚を演じておられた。長兄でありながら、放蕩《ほうとう》皇子と呼ばれていましたね」

「帝位争いで先頭を走るのは危険だからな。それだけ暗殺される危険性がある。我が息子がそうだった……」

「皇太子殿下が暗殺された証拠は見つかりませんでした。私と陛下が全力で調べたのです。それでも暗殺をお疑いですか？」

「ああ、確信がある。皇太子は暗殺された。優秀ではあったが、優しすぎた。そこに付け入られたのだろうな。せめてそれを補える人材が傍《そば》にいればよかったのだがな」

「そこは巡りあわせですからね。その点でいえば今の第四勢力は面白いかと」

フランツの言葉にヨハネスはニヤリと笑う。

ヨハネスも同意見だったからだ。

「やはりお前もそう思うか？　あの勢力は一見するとレオナルトがそのカリスマ性でまとめた勢力に見える。だが、確実に裏で暗躍している者がいる。そうでなければここまで急速に勢力拡大はできん」

「それがアルノルト皇子だと思っておられるのですね？」

「ああ、あれはワシに似ている。無能を演じているような気がするのだ」

「同感ですが、陛下と違い帝位への野心が感じられません。それに自ら汚名を被《かぶ》っているようにも見えます。実際、何をされても反撃しないそうですし、今では貴族たちにも心底舐《な》められているとか」

「何を考えているかはわからん。だが、あれは前回の騒動の際に真っ先にエルナを送り込んだ。しかもエルナと騎士たちに非が及ばぬように自分の腕輪を壊してな。これはキールがもしも陥落したときのことを考えていた証拠だ。少なくとも巷《ちまた》で言われているほど無能ではあるまい。無論、ワシの買いかぶりかもしれんがな」

「それを見極めるために補佐官にしたのですか？　あれはいただけませんでした。レオナルト殿下の勢力はこれで指揮を執る者がいなくなりました」

「まぁその意図はあるし、少々感情的だったのは認めよう。アルノルトのあの余裕そうな顔が気に入らなかった。自分の思い通りというような顔をしおって、ああいう顔は好かん」

それは同族嫌悪ですね、という言葉が喉まで出かけてフランツはやめる。

言っても否定するのは目に見えていたからだ。

しかし、フランツにはよくわかっていた。

アルノルトはヨハネスが思う以上にヨハネスに似ている。

ただし、ヨハネスには目的があった。自分が皇帝になるという目的が。しかしアルノルトにはそれが感じられない。

目的や強い信念のない者は場を混乱させる。力があればその混乱はより一層大きくなる。

もしもアルノルトに強い思いがあるならば、この危機をあらゆる手で乗り切るはず。ヨハネスはそれが見たいのだろう。

そしてそれを乗り切ったときにはじめて、アルノルトとレオナルトはヨハネスに認められる。

「しばらくは双黒の皇子のお手並み拝見ということですね」

「双黒か……いい命名だ。あの二人は二人で一人。正道を歩むレオナルトは皇太子の面影を感じる。それをアルノルトが陰ながら補佐できるならば、あの二人が帝位を取るやもしれんな」

「それはどうでしょうか。先を歩く殿下方も傑物揃《ぞろ》い。時代が違えば全員皇帝になっていてもおかしくはありません。勝算は今のところ薄いかと」

「それはよいことだ。優秀な者たちが帝位を争ったときは賢帝が生まれる。帝国は安泰だな」

常に帝国のことを考えるヨハネスにとって、なによりの朗報だった。

しかしとヨハネスは心の中で思う。

願わくば子供たちが流す血が少ないことを。

皇帝として決して口には出せないことを思いながら、ヨハネスは次の政務に取り掛かった。

5

「報告！　ヘルメル子爵に調略の手が伸びているようです！」

「人をやって説得するんだ！　絶対にほかの勢力に靡《なび》かせるな！」

「報告！　帝都守備隊のレーマー隊長がザンドラ殿下に取り込まれました！」

「なに!?　くっ！　これ以上離反者を出すな！　動かせるだけの人を使って、支持者を維持するぞ！　僕も出る！」

夜。帝都では調略合戦が繰り広げられていた。

ザンドラの計画を乗っ取ってからというもの、ザンドラは報復とばかりにレオの支持者をどんどん奪っていっている。

　その対処でレオは大忙しだ。

「大変だなぁ」

「兄さんも手伝ってよ！　元々、喧嘩《けんか》を仕掛けたのは兄さんだろ⁉」

「いやいや、たしかに哀れなベルツ伯爵を助けることを提案したのは俺だが、それにはお前も同意しただろ？　結果的に喧嘩になったのは謝るが、どうせジッとしてても向こうから仕掛けてきたはずだ。ちょうどいいじゃないか」

「それなら手伝ってよ……」

「殴り合いは俺の領分じゃないし任せるよ。俺にできることもないしな」

「兄さんにできることがないなら僕にできることもないよ」

「おいおい謙遜も過ぎれば嫌味《いやみ》だぞ。お前が出向けばいろんな支持者が思いとどまる。そうやって留《とど》まった奴《やつ》がお前の真の支持者だ。頑張れ」

「他人事《ひとごと》だなぁ。まったく、全権大使の仕事は絶対に手伝ってもらうからね？」

　そう言ってレオは上着を羽織って部屋を出ていく。

　それを見送りながら、俺は深くため息を吐《つ》く。

　ザンドラは攻勢を仕掛けてきているが、勢力の中心人物はまだ調略されていない。今、調略を受けているのは比較的新しい支持者だ。彼らが調略されたところで大きな痛手にはならない。

問題は勢力の根幹をなす者たちをどうやって引き留めるかだが、まぁそこを考えるのはレオの役目。

俺が考えるべきは敵の行動の裏にある思惑だ。

「セバス」

「はっ、なんでしょうか？」

「お前がザンドラならどうする？　誰を狙う？」

「私ならば攻撃を仕掛けませんな。仕掛ければ横やりを入れられるのは目に見えていますから。万が一、仕掛けるにしてももう少し時期を待ちます。今は自分の支持者をまず維持することに努めるかと」

「そんなことはわかってるが、頭に血が上ったザンドラはこうして攻撃を仕掛けてきた。その場合、どう見る？」

俺の質問にセバスは少し考えたあと、机の上にあるお菓子袋を見てハッとした様子で呟《つぶや》く。

気づいたか。そうだよな。誰だって少し考えればそういう思考にいきつく。

「フィーネ様ですな。私ならばフィーネ様を狙います」

「だよな。フィーネだけが俺たちがいなくなったあと、旗印になりえる。だから狙うならフィーネだ」

「そうですな。しかし、フィーネ様を簡単に襲撃したりすれば問題が発生します」

「ああ、父上が黙ってないだろうな。けど、たとえば支持者を維持するためにフィーネが走り回っていて、その最中にゴロツキに襲われたとしたら？　父上の怒りは俺たちに向く」

「それではフィーネ様は城に残しておくのですか？　お姿が見えませんが？」

「いや安全な場所に行ってもらった。ここも完全に安全とは言い難いし、城の者を使って外に連れ出されても困る」

帝剣城の警備は万全だ。しかしそれは外に対してのみ。中から手引きされればその限りじゃない。まぁ皇帝がいる上層は完璧な警備だけど、危険があるからといってフィーネを父上の下に送るわけにもいかない。

「安全な場所ですか？　私の知る限り、アルノルト様の傍が一番安全だと思うのですが？」

「いや、さすがにベルツ伯爵に接触したのは俺だってバレてるだろうからな。たぶん、ザンドラは今、俺を一番殺したいはずだ。さすがに傍には置けない」

「なるほど。やはりベルツ伯爵を取り込んだのは失敗だったのでは？　おそらくザンドラ殿下もあなたが爪を隠していたことには気づいたかと。そこまでの価値があるとは思えません」

「どうせいつまでも無能のままじゃいられないし、エルナを父上の下に送り込んだ時点でだいたい察しはついてるだろうさ。それに少し調べればお前が元々凄腕《すごうで》の暗殺者だってのはわかる。今のところ、お前のおかげと勘違いしてくれるはずだ」

「あまり兄姉《きょうだい》の方々を舐めてはいけません。楽観は禁物ですぞ？　あなたと同じくあの三人にも御父上の血が流れているのです」

「わかってるさ。舐めちゃいないから安心しろ。むしろ俺ほどあの三人を評価してる奴はいないと思うけどな」

　最大限の警戒をしているから俺のもとから離した。

　このザンドラの攻勢は間違いなく、フィーネを引きずり出すためのものだ。フィーネを引きずり出せないなら、多少の支持者の離反で済む。まぁ、俺たちの勢力からすればその多少は手痛い損失だが、フィーネを失うよりはマシだ。

「たしかに舐めてはいないようですな。いつになく真剣そうです。フィーネ様が関わっているからですかな？」

「まぁな。フィーネはクライネルト公爵の娘だ。ここで失えば俺たちは再起不能だ」

「本当にそれだけですかな？　いつものアルノルト様なら相手の狙いがわかっているときは間違いなくカウンターを仕掛けます。それを今回は仕掛けずに徹底防御に転じた。フィーネ様を危険な目に遭わせたくないからでは？」

「なにが言いたい？」

「いえ、良いことだと思いますよ。ミツバ様もお喜びになるかと」

訳知り顔で喋《しゃべ》るセバスに俺は文句を言おうとして、すぐに口を閉じた。

この執事相手に何を言っても上手《うま》く返されるのはわかり切っているからだ。

だから俺は何も言わずに外に出る準備を始めた。

「お出かけですか？」

「ああ、どこぞの執事が舐めるなと言うからな。ちょっと安全確認に行く」

「それはよいですな。会いに行ったあと心配だったと言えば完璧です」

「誰が言うかっ」

「それは残念です。して、どこにフィーネ様を隠したのです？」

「お前もよく知ってる場所だ。この帝都で最も安全で、この帝都で最も強い奴が住んでる場所だよ」

「なるほど。アムスベルグ勇爵家の屋敷ですか。たしかにあそこにいれば手出しはできませんな」

そういうことだ。

納得したセバスを連れて俺はアムスベルグ勇爵家の屋敷に向かった。

■■■

アムスベルグ勇爵家の屋敷は城の近くにある。

巨大なその屋敷を訪ねた俺はすぐに通された。いくら皇子といえどこうもあっさり通されるのは俺くらいだろうな。

エルナと俺とレオは幼馴染《おさななじみ》だが、子供の頃、積極的に関わっていたのは圧倒的に俺のほうだ。

何度、エルナに泣かされながらこの屋敷まで引きずられたかわかったもんじゃない。

しばらくそれが続くと、門番についている騎士たちは俺にもお帰りなさいと言うようになった。あの瞬間、慣れとは恐ろしいと感じたもんだ。

今回も数年ぶりだってのに、門番はお帰りなさいと言いやがった。この家の人間にとって、俺は可愛《かわい》いお嬢様の友達なのだ。

「よくよく考えると泣いてる子供に向かってお帰りなさいとかどうかしてるよなぁ……」

「大人には仲が良く見えたのでしょうな」

「お前からはどう見えたんだ？」

「アルノルト様が嫌がっているのはわかっていましたとも。もちろん」

「……」

じゃあ止めろよという言葉が出かかるが、それを飲み込む。どうせ適当なことを言って流されるに決まってる。もう過去のことだし、その過去のおかげでフィーネを簡単に送り込むことができたと思えば無駄ではなかったと言える。

そんなことを考えている間に入り口につく。そこにはエルナと同じ髪色の女性がいた。目の色は青。若々しく、美人だ。何も言われなければ誰もがエルナの姉だと思うだろうけど……。

「久しぶりね。アル」

「ご無沙汰しています。アンナさん」

「セバスも変わりない？」

「はい。アムスベルグ夫人」

この人はアンナ・フォン・アムスベルグ。アムスベルグ勇爵の妻にしてエルナの母だ。

俺の母親も大概だが、この人の若さは完全に魔法だ。年という概念がないように思える。

昔からこの外見のせいで、おばさんと言うのは憚《はばか》られて結局さんづけで呼んできている。

ニコニコと笑いながらアンナさんは俺を中に案内してくれた。

「主人は残念ながら留守なの。あ、もう立派な殿下だものね。こんな喋り方じゃ失礼かしら？」

「いえ、そのままでお願いします。アンナさんに敬語を使われたら居心地が悪くて仕方ありませんから」

「あらあら、それじゃあお言葉に甘えさせてもらうわね。エルナとフィーネさんは今、お風呂なの。ご希望なら一緒に入る？」

「死にたくないのでやめておきます」

「物騒ねぇ。昔は一緒に入ってたじゃない」

「子供の頃の話ですし、俺はこの家の風呂場でエルナに溺れさせかけられたんです。覚えてませんかね？」

「そんなこともあったわねぇ。それを言うなら二人で泣いて帰ってきたことがあったわね。覚えている？　あなたはいじめっ子に勝つためってエルナに特訓させられて泣いて、エルナはまったく上達しないあなたにイラついて泣いたのよね」

「今聞いても理不尽ですね」

やはりあいつは天敵だ。

深刻なトラウマが残らなかったのが不思議で仕方ない。

心の弱い奴なら自殺もんだぞ。

それをニコニコと笑って話すあたり、この人も相当やばい。

「とりあえずここの一番端の客室で待っていてもらえるかしら？」

「わかりました」

「セバスはお茶を出すの手伝ってもらえる？」

「かしこまりました」

俺がよく来ていたということは、セバスもよく来ていたということだ。

まるでアンナさんの執事のようにセバスはついていく。

俺は言われるがままに一番端の客室に向かって、何も考えずにドアノブに手をかけた。

しかし、少し扉を開けたときに人の気配を感じた。加えて女の話し声。

だが、侍女がベッドメイキングでもしているのだろうと思って、俺は気にせずそのまま扉を開く。

それが間違いだった。

「……」

「エルナ様はドレスもお似合いになるんですね！　次はこの白いドレスを」

「ふぃ、フィーネ……もう私を着せ替え人形にするのはやめてちょうだい……」

部屋の中には下着姿の二人。フィーネは純白の下着で、エルナはピンク色の下着。意外にもエルナのほうがフリルのついた可愛いヤツを着ている。

普段は誰にも見せることのない白い肌を惜しげもなく晒《さら》している。女同士しかいないと思っているせいか、どっちも隠す気はゼロだ。フィーネは普段、ゆったりした服を着てい

るせいで目立たないが、予想以上にグラマーだった。エルナは前回確認したとおり大して成長してないが、それはそれでスレンダーということで好みな者も多いだろうな。

なんてことを思っていると、二人が俺に気づいた。

一瞬、困惑の表情を浮かべる二人だが、すぐに二人とも顔を真っ赤にした。

そして素早くエルナが近くにあった枕の投擲《とうてき》体勢に入った。

もはや抵抗は無意味なので俺はただ後悔だけをする。

忘れてた。一番厄介なのはアンナさんだった。まさか未婚の娘の着替えを覗《のぞ》かせる真似《まね》をするなんて。もはや愉快犯だろ。

「アル!?　このっ！」

「アル様!?」

はめられたと思いつつ、俺はとんでもない速さで投げられた枕を顔面で受ける羽目になったのだった。

6

「ごはっ!?」

思いっきり枕を投げつけられた俺はそのままゴロゴロと後ろに転がり、壁に後頭部を強打した。

「っっっ⁉　頭がぁ⁉」

顔は痛いし、頭も痛い。

なぜこんな目にと思いながら、その場でゴロゴロと悶絶《もんぜつ》する。

その間にエルナは部屋の扉を閉めた。

そうこうしてるうちに、紅茶やお茶菓子を持ってきたアンナさんとセバスがやってきた。

「どうしたの？　アル？　恥ずかしい過去でも思い出した？」

「違いますよ！　エルナとフィーネが中で着替えてて攻撃されたんです！」

確信犯的な行動なのにとぼけるアンナさんに告げると、まぁと白々しい反応が返ってきた。

この人は……！　なにがしたいんだ。一体……。

「お風呂に入るって言ってたのだけど……。まぁいいわ。それよりどうだった？　エルナは？　少しは魅力を感じたかしら？」

「まぁよくないですし、魅力の前に殺気を感じましたよ……」

なぜまぁいいわで片付けるんだ。あほか。

飛んできたのが枕じゃなかったら死んでたぞ。

まだひりつく顔を撫《な》でる。柔らかい枕でこれだ。硬い何かならどうなっていたか。

ゾッとしていると、扉が勢いよく開かれる。

出てきたのは当然エルナだ。

「アル〜？　よく逃げなかったわね？　褒めてあげるわ。だから釈明のチャンスをあげるわよ？　さぁ覗きの釈明をしなさい」

「お、おい！　それ練習剣だよな!?　真剣じゃないよな!?　落ち着け！　俺はアンナさんに！」

「お母さまのせいにするんじゃないわよ！　ノックしないあなたが悪いわ！」

「お前だって俺の部屋に入るときノックしないだろ!?」

「私はいいのよ！」

「理不尽!?」

エルナが剣を振り回し、俺は転がるように避《よ》ける。

さすがに真剣ではないだろうが、エルナが持てば刃のない練習剣でも十分に凶器だ。喰《く》らったら死なないまでも記憶がぶっ飛ぶ可能性は十分にある。

「エルナ。みっともないわよ」

「お、お母さま！　でも、アルが！」

「別にいいじゃない。下着くらい見られても。昔はよく一緒にお風呂入ったでしょ？」

「む、昔の話です！　今は二人とも大人です！」

「大人ならもうちょっと冷静になりなさい」

そう言われてエルナがキッと俺を睨《にら》む。

なぜ俺が睨まれるんだ……。

理不尽という言葉がさきほどから何度も頭に浮かんでくる。そうだ。子供の頃もこんな感じだった。いつもエルナと行動していると理不尽だと思ってた気がする。

「とりあえずお茶にしましょうか」

そう言ってアンナさんはニコニコと客室に入っていく。

それにエルナも続く。なぜか大きな音を立てて扉を閉じやがった。あの女……。

残されたのは俺とセバス。

「災難でしたなぁ」

「おい、セバス……」

「なんでしょうか？　ああ、一応言っておきますがさすがに気づきませんでしたよ。まさか部屋でお二人が着替えているなんて思いませんでした。何かあるとは思ってましたが」

何かあると思ったなら伝えろよ、という心の叫びは飲みこむ。

これも子供の頃からだ。セバスは危険がない限り余計なことを言わないし、しない。

「自分に驚いてる……よく俺、真っすぐ育ったな」

「真っすぐ？　面白い冗談ですな」

「言ってろ」

セバスを軽く睨みつつ、俺も客室に入る。今度はさすがにノックを忘れなかった。

■■■

「ごめんなさいね。アル。まさかこの部屋で衣装選びしてると思ってなくて」

「いえ、もういいです……」

「申し訳ありません……私が余計なことをしたせいで」

「フィーネのせいじゃないわ。全部、アルのせいよ」

謝るフィーネと偉そうなエルナ。性格が出ているなぁ。

話をまとめるとこうだ。

ここにはお客様用の服が一杯あるため、フィーネの服を選ぶためにエルナとフィーネは風呂前に立ち寄ったそうだ。そこでなぜか試着会が始まり、意外なほど時間が過ぎていたと。

当然、もう風呂に行ったと思っているアンナさんは、自然と俺をこの部屋に通してしまった。そしてあの惨劇である。

まぁ違和感はない。だが、作為が感じられる。なぜわざわざこの部屋に通した？　狙ったとしか思えない。だが追及するだけ無駄だ。アンナさんに口で勝てるわけがない。

「まぁ眼福の代償を支払ったわけだし、いいじゃない。エルナ」

「あの程度で許せますかっ⁉　嫁入り前の娘が着替えを覗かれたんですよ⁉　しかも勇爵家と公爵家の娘が！」

「じゃあ責任を取ってもらう？　いいわよ、私は」

「なっ⁉」

「えぇぇぇ⁉」

「はぁ……」

爆弾発言を平然とするアンナさんに対して、エルナが顔を真っ赤にして絶句し、フィーネが驚きで挙動不審になる。

まったく、この人は……。

「あの人もアルなら構わないって言うと思うわよ？　どうかしら？」

「ど、どうかしらって……そ、そんな……わ、私は騎士ですし、そういう話は……」

「下着を見られたのがどうしても許せないならそういう話になるでしょう？　でも問題なのはクライネルト公爵家と取り合いになることね。モテモテね。アル」

「たしかに、これはフィーネ様のご実家にも連絡しなければいけませんな」

「はわわわ⁉　お、お父様にご連絡を⁉　そ、それは……」

「面白そうに俺の人生を決めようとしないでください。申し訳ないですが、まだ誰とも結婚する気はありません」

「責任取らないの？」

「取りません」

「あら、残念」

そう言ってアンナさんはお菓子をパクリと口に入れる。

そこに至って、ようやく自分がからかわれたと悟ったエルナは、顔を真っ赤にしてそっぽを向いた。

フィーネのほうも冗談だと気づいたのか、顔を真っ赤にして俯《うつむ》く。

「さて、アル。そろそろ本題に入ったら？　遊びに来たわけではないのでしょう？」

さすがはアムスベルグ夫人。そこらへんはわかるか。

俺は頭を切り替えてアンナさんのほうに向きなおる。

「図々《ずうずう》しいお願いかもしれませんが、しばらくの間、フィーネをここに置いてもらえませんか？　あと、できるだけエルナと一緒にいさせてほしいんです」

「それは帝位争いに関係してるのよね？　なら無理だわ。我が家は勇爵家。帝位争いには関わらないもの」

そりゃあそうか。

予想通りの答えに俺は納得する。

一日避難させるくらいならともかく、しばらくフィーネを置いておけば勇爵家が俺たちについたとみなされてもおかしくない。

そんなことはできないだろう。

だが。

「蒼鷗姫《ブラウ・メーヴェ》は皇帝陛下のお気に入り。なにかあれば皇帝陛下のお怒りに触れます。それを勇爵家が守るのは不自然ではないかと」

「あら？　そういう話に持っていくの？」

「そういう話に持っていかないと引き受けてはもらえないでしょう？」

「そんなこと言わなくても、俺の顔を立ててくださいって言えば引き受けたわよ。相変わらず情に訴えるのが下手ね。損するわよ？」

あっけらかんとした様子でアンナさんは言った。

それはつまり引き受けてくれるということだ。

これでザンドラの攻勢が止《や》むまでの間、フィーネの無事は保障される。勇爵家がいる限り、万が一もありえない。

「肝に銘じておきます。それと、ありがとうございます。御助力に感謝を。この恩はいつか返します」

「そうね。いつか返してもらうわ。しかし……早いものね。あのアルが帝位争いに加わっているなんて……。私の中ではいつまでも泣き虫な子供なのだけど、もう違うのね」

「いつまでも泣いてはいられませんから。じゃあフィーネ。しばらくここにいてくれ。数日で終わると思うから安心しろ」

「はい……あの、アル様は危険ではないのですか？」

「俺の傍《そば》が危険だから勇爵家にいてもらうんだ。正直、頭に血が上ったザンドラなら利益を度外視して俺に攻撃してきかねない。今、あいつは俺を殺したくて仕方ないだろうからな」

ザンドラの性格は残忍。気性も荒い。今回の攻勢が示すとおり、そんなザンドラを完璧に制御できる人物は向こうの陣営にいない。少なくとも傍にはいない。

そうなってくるとこっちとしても計算通りに事を運べない。

この数日間は恐ろしく危険な数日間だ。あと数日もすればゴードンあたりがザンドラの陣営に攻撃を仕掛ける。そうなればこちらへの攻勢も弱まるが、いくらゴードンでも数日くらいは待つ。

そこまで持ちこたえられるかが勝負の分かれ目だ。

「そ、それではアル様も隠れたほうが……」

「俺が隠れればレオが狙われる。ザンドラの目を惹《ひ》きつけておくためにも、俺は隠れられない。まぁ一度くらいは暗殺者を差し向けられるんじゃないか」

「そんな⁉」

「まぁ安心しろって。こっちにはセバスがいるし、困ったときの助《すけ》っ人《と》もいる」

そう言うとフィーネはようやく引き下がる。

心配そうな顔に申し訳なく思うが、俺が暗殺されることはない。向こうはセバスを突破すればやれると思うだろうが、そこを突破したって俺自身の防御がある。

俺がシルバーだと気づかない限り、俺の暗殺は不可能なのだ。

7

勇爵家にフィーネを護衛してもらうこととなったため、俺たちは安心して動けるようになった。

そこから二日間、ザンドラが狙いそうな支持者に釘《くぎ》を刺して回っていたのだが、二日目の夜についにザンドラが仕掛けてきた。

「敵ですな」

「来たか」

馬車で走っている最中、セバスがそう告げた。

予想していたこととはいえ、俺はため息を吐《つ》いてしまった。相当頭に血がのぼっているんだろうな。ここで仕掛けるということは、漁夫の利を自らゴードンとエリクに差し出すということだ。セバスがいる以上、たとえ俺の暗殺に成功しても戦力は減じる。その状態で二勢力から攻撃を受けるわけだし、俺を暗殺したということで槍玉《やりだま》にもあげられる。

「先が見えてない女だな」

「ある意味、先が見えていると言えますな。あなたを狙うあたりお目が高いとも言えます」

「そりゃあどうも。けど、いい迷惑だ」

「ですな。ザンドラ殿下の参謀たちには仕事をしてほしいものです」

ザンドラの勢力は魔導師が基盤だ。もちろん魔導師以外も勢力にはいるが、優秀な文官や武官はエリクやゴードンの下へ流れる。そのためザンドラの配下には政治的センスに長《た》けた参謀が乏しい。強力な魔導師たちを数多く抱えながら、ゴードンやエリクを上回れないのはそのためだ。

優秀な参謀がおり、そいつの意見をザンドラがくみ取ることができたならばまた違うんだろうがな。

「私が片付けてきましょう」

「わかった。俺は城に向かう」

「お気をつけて。伏兵がいるやもしれません」

「そのときはそのときだ」

そんな会話をしたあと、セバスは走る馬車から飛び出ていく。

まぁ十中八九伏兵はいるだろう。それに対して俺は馬車を走らせる従者だけ。敵からすれば上手《うま》くセバスをつり出せたと見るはずだ。そうであるならば、またそれなりに内情を知る暗殺者が出てくるはずだ。この機にまた情報収集をさせてもらうとしよう。

そんな悪だくみをしていると、馬車を走らせる従者が悲鳴をあげた。

「ひぃぃぃ!? お、皇子！ 目の前に人が!?」

「構うな。進め」

「そ、そんな!? わ、私は死にたくなどありません！」

さすがに目の前にいるのが暗殺者だとわかったんだろう。

若い従者は馬車を止めると俺を置いて逃げていってしまった。

残された俺は馬車の中でため息を吐く。予想通りだし、この方がやりやすいが自分の人望のなさに呆《あき》れてしまう。乗っているのがレオなら彼も逃げ出すようなことはしなかっただろうに。

「降りて来られよ。馬車から引きずり下ろすのは忍びないのでな」

「顔を確認したいだけだろうに」

もっともらしいことを言う暗殺者に小声で返しつつ、俺は素直に馬車から降りる。

馬車の前には茶色の髪を刈り上げた中年の男が立っていた。威厳たっぷりなその顔は歴戦の強者感が漂っていた。なかなかどうしてザンドラも本気らしいな。おそらくザンドラ配下でも五指に入る実力者を送り込んできたみたいだ。

パッと見だがA級冒険者クラスの力は持っている。

不意を突くことが仕事の暗殺者でそれだけの実力を持っているということは、かなりの手練《てだ》れということだ。いきなりA級冒険者が背後に現れたりすれば、同じ実力の者でも容易《たやす》く命を奪われてしまうだろう。暗殺者は冒険者とは違う。人殺しのプロだからだ。

「従者に逃げられるとは哀れだな」

「人望がないのは今に始まったことじゃない」

「なるほど。その程度では取り乱さないか。それは自らの執事への信頼からか？」

「そうだ。セバスがすぐにお前を始末しに来る」

「麗しい主従の信頼関係だが、それは叶《かな》わない。いくらあの執事でも十二人の暗殺者を手早く始末してこちらに駆けつけるのは時間がかかる」

「どうかな？」

俺は余裕を崩さない。それをブラフと見たのか、男は苦笑して俺に近づいてくる。

そしてその手に炎で出来た短剣を作り出す。

「命令は暗殺だが殺しはしない。動けなくして我が主《あるじ》の下まで来てもらおう」

「拷問好きの姉の下には行きたくないね」

なかなかどうして気が利く部下だ。暗殺より拉致のほうがこの場合はいい。行方不明であればいくらでも対応可能だからだ。エリクやゴードンも俺の救出に全力を出すことはないだろうし、うまくすれば俺の代わりに補佐官に割り込める。

とりあえず俺の捜索が始まるまでに帝都から連れ出して、拷問なりすればいい。心が折れてしまえばあとはザンドラの思うつぼだ。救い出されたとしても、拷問で心の折れた俺はザンドラのことを喋《しゃべ》ることはないだろう。もしくは精神を壊してしまうのも手だろう。そっちのほうが暗殺よりも打撃を与えられるし危険もない。

「哀れだな。恨むなら出来た弟を恨め」

そう言って男は炎の短剣を投げる。

だが俺の周りには防御結界が張ってある。あの程度の魔法じゃ突破はできない。だから余裕で身構えているのだが、その炎の短剣は横から出てきた剣によって打ち消された。

「!?」

「何者だ？」

「通りすがりの冒険者です」

驚き、乱入者に目を向ける。

そこにいたのは茶色の髪をポニーテールにした少女だった。しかし、帽子を深くかぶり、ラフな格好を見ると少年のようにも見える。その少女に俺は見覚えがあった。

クライネルト公爵領でマザースライムの討伐に当たっていたA級冒険者だ。

「冒険者ならば下がっていろ。依頼を受けたわけでもあるまい？」

「ええ、依頼を受けたわけではありません。もちろん、後ろにいる人が何者で、どんな理由で襲われているのかもわかりません。そして私にはそんな人を助ける義理も義務もありません」

「ならば」

「しかし目の前で殺しをされるのは後味が悪いんです。それに従者にまで見捨てられたんです。私くらい味方をしてあげなければ不公平というものでしょう？」

「貴様……そちらに味方するということは貴きお方を敵に回すということだぞ？　それでも良いのか？」

「見捨てて後悔するよりは助けて後悔するほうがマシです」

その言葉を聞いて男は完全に少女を敵と判断した。

両手に短剣を取り出すと少女に投げつける。さきほどのような魔法で作った短剣じゃない。少女はそれを剣で弾《はじ》くが、そのすぐ後ろには氷で作った短剣が潜んでいた。避《よ》ければ後ろにいる俺に直撃するコースだ。

その曲芸のような技に少女はさらなる曲芸で対応した。

なんと剣を盾に変化させて、氷の短剣を受け止めたのだ。

「形を変える魔剣とは珍妙な獲物を持っているな……」

「とある遺跡で手に入れたものです。こんなこともできますよ」

そう言うと盾を今度は槍《やり》へと変える。それを少女はブンブンと振り回してゆっくりと近づいていく。

それは一見、何の変哲もない槍だったがすぐに普通ではないことが発覚する。

「くっ……!?」

「眠らないのはさすがですね。強力なモンスターでも眠ってしまう音色なんですが」

「音か……！」

対象を眠りに誘う音を発しているのか。こちらで聞いている分にはまったくわからないが、あの男には振り回す槍の音が子守歌に聞こえるみたいだな。

厄介な能力だ。真剣で戦ってる最中に眠くなるとか冗談じゃない。たとえ眠気に勝っても万全では戦えない。それは男も察したんだろう。

すぐに少女から距離を取る。そして俺を一瞥《いちべつ》すると舌打ちをして退いていった。

そのすぐあとにセバスがやってきた。

「これはどういう状況ですかな？」

「危ないところを助けてもらったんだ。ありがとう、助かったよ」

「いえ、人殺しは見過ごせませんから。ところで馬車を見るに高貴な方と見えますが？」

「ああ、すまない。俺はアルノルト・レークス・アードラー。帝国の第七皇子だ」

「第七皇子？　なるほど、噂《うわさ》の帝位争いですか。人助けはしてみるものですね。目的に大きく近づきました」

そう言うと少女は帽子をとってその場で膝をつく。

やや中性的ながら整った顔が現れる。年は俺と同じくらいだろうか？

「皇子。私の名はリンフィアと申します。命を救った礼というのはなんですが、私の頼みを聞いていただけませんか？」

いやいや、別に助けてと頼んだ覚えはないんだが。あれだったら敵の暗殺者を捕らえる機会を失ったんだが。

そうは思いつつもこの子は俺がシルバーだと知らない。そして命を救われた形のアルノルトとしてはこの頼みを断れない。断ったが最後、俺やレオを助ける者はいなくなる。

だが、これまでの経験上わかる。これは間違いなく厄介事だ。しかし。

「とりあえず城で話を聞こう。馬車にどうぞ。力になれるかわからないけど」

最後の予防線を張りつつ、俺はリンフィアを馬車に誘う。

まったく。次から次へと問題はなくならないな。

小さくため息を吐いて俺は嘆くしかなかった。

8

城に戻った俺はリンフィアを部屋に招く。

そしてリンフィアと向き合うように俺はソファーに腰かける。

「改めてお礼を言わせてほしい。リンフィア。君がいなきゃ俺は死んでたよ」

「それはどうでしょうか。あの暗殺者に殺す気はありませんでした。そうでしたら後ろの執事の方が間に合っていたかと」

「それでも怪我《けが》をせずに済んだ。ありがとう」

「自分のためです。それとお礼は言葉ではないほうがありがたいです」

表情を変えないままリンフィアはそう告げる。

クールな子だなぁ。喋り方も淡々としているし、表情にも出ない。ソロの冒険者としては少々、愛嬌《あいきょう》に欠けるんじゃないだろうか。まぁそれでもやっていけるあたり実力があるんだろう。

「そうだな。じゃあ話を聞こうか」

「ありがとうございます。私の生まれた村は帝国南部国境付近にあります。流民の村と言えばだいたい察していただけるでしょうか？」

流民の村。その言葉に俺は眉を顰《ひそ》める。厄介ごとだと思っていたが、想像以上に面倒なことを持ってきたな。

流民というのは読んで字のごとく、流れてきた民だ。元々帝国の民ではない。戦争やモンスターの発生などで故郷を追われた人々。それが流民だ。

「もちろん察しはつく。俺にはハードルの高い問題だってことがね。まぁ続きを聞かせてくれ」

「はい。知っての通り流民の村は各地にありますが、その多くは帝国から認知されていません。当たり前です。勝手に入って、勝手に村を作っているのですから。そのことに文句を言うつもりはありません。私の村もその一つです。ですが……今は帝国の助けが必要なのです」

「問題が起きていると？」

「その通りです。我が村は人攫《ひとさら》いの標的となっています。若い娘や子供が攫われているのです。その理由は私たちの村が複数の流民から出来上がった村だからです。私を含めて多くの人が混血です」

混血というのは別に珍しくはない。それを言うなら俺だって混血だ。

帝国で黒髪は珍しくないが、目まで黒いというのはちょっと珍しい。まぁ東側の人かなぁと思う程度の珍しさだけど。

つまりその程度じゃ人を攫う理由にはならないということだ。

「混血の結果、君の村に何が発生したんだい？」

「……虹彩異色《オッドアイ》です」

それを聞いた瞬間、やっぱりかという言葉が心の中に生まれた。混血でしかも人攫いの標的になるなんて、亜人種との子供かそれしか考えられないからだ。思わず舌打ちをして足を組む。

胸糞《むなくそ》悪い話だ。虹彩異色は左右の目の色が違う特殊な現象だ。問題はそういう子は高値で取引される。物珍しいというのと、大抵は高い魔力を持つからだ。

「人身売買というなら放ってはおけない。だが、南部国境といえば辺境もいいところだ。わざわざ帝都に来るより、近場の大きな街で領主か軍関係者に話をしたほうが早いと思うが？」

「それはしました。ですが、誰も動いてはくれないのです。証拠がないと言われ、しまいにはそんな村はないと言われました……。ですから帝都の有力者に動いてもらおうと私が村を出たのです。幸い、私は虹彩異色ではなかったので。それで西部で依頼を受けたときにシルバーと接点ができました。そのシルバーが皇族と繫《つな》がっているという噂があったので、シルバーを訪ねるために帝都までやってきたんです。結局、その前に接点が生まれましたが」
「それは奇遇だな。しかし、動かないか……」
最悪の状況が頭をよぎる。この問題で一番厄介な状況。
それは現地の領主や軍関係者がその人攫い組織と通じているということだ。そうなると
ただの流民の村の問題ではなく、貴族と軍の腐敗という問題になってくる。
そしてそうだとするなら、解決するだけの時間が俺にはない。
「アルノルト様、たとえ命の恩人の願いとはいえ無理なものは無理と言うべきです」
「セバス……」
「なぜですか？」
「アルノルト様と弟君のレオナルト様は近々全権大使とその補佐官として他国に向かわれ
ます。少なくとも半月、長ければ数か月は戻ってきません。助けたくとも時間がないので
す」
「そう、でしたか……ではせめて資金援助をいただけませんか？　出会った冒険者の中で
信頼できる人たちには報酬を渡して、村の護衛を依頼しています。なのでしばらく村は安
全です。ただ、冒険者をずっと雇い続けるお金が私の村にはありません。私も稼いだお金
は前金として渡していますが、村にずっといてもらうには足りません……」
なるほど。わざわざ冒険者になったのはそのためか。金稼ぎを兼ねつつ、信頼できる冒

険者を見極める。それには一緒に依頼をするのが一番だ。

なかなかどうして考えているな。さて、どうするか。

見捨ててしまうのは簡単だ。こんな厄介な問題をこの忙しい時期に抱え込む必要はない。命の恩人とはいえ、それは表向きの話。別に本当に命の危機に遭ったわけじゃない。それに人には聞ける願いと聞けない願いが存在する。どう考えても今回は後者だ。

だが、ここで見捨てると文句を言いそうな奴《やつ》らが何人かいる。文句を言うくらいならまだしも、勝手に行動しそうなのが厄介なところだ。仕方ない。

「リンフィア。話はわかった。妥協案を提示してもいいか？」

「妥協案ですか？」

「ああ、俺とレオは他国に向かう。それは避けられない。だが、帰ってきたらできる限りの手伝いはしよう。それまで待ってほしい。もちろん、それまで村の安全が保障されるように信頼できる冒険者に新たな依頼を出す。金はこちらで持つ。これでどうだ？」

「よいのですか……？」

「アルノルト様……あまりに危険です。今は帝位争いの真っ最中ですぞ？　ほかの問題を抱え込めば隙ができます」

「でしたら私もお力になります。今日みたいなことがまた起こり得ます。それでしたらいかがです？」

そう言ってリンフィアは自分の剣を机に置く。

見た目は細い剣だが、さきほど見たようにこの剣は魔剣だ。槍や盾に形状を変化させる。槍の能力を見る限り、それぞれの形態にそれぞれの能力があるんだろう。

それを見せたリンフィアは表情を変えずに告げた。

「村を守っていただけるなら私があなたを守ります。あなたの守りたいモノを守ります。それでしたら取引ということになりませんか？　自慢ではありませんが要人警護は得意です」

「ありがたい申し出だが、村はいいのか？」

「あなたが冒険者を派遣してくださるなら問題はないでしょう。人攫い組織に手練《てだ》れはいません。私が村にいたときは私だけで村を守れていました。A級クラスの冒険者がいれば村の安全は確保されます」

わざわざそんなことを言ってくるとは義理堅く、そして慎重な子だな。

俺が言葉だけで行動しない可能性も考慮して、リンフィアは俺の傍《そば》にいると言っている。実際、俺は状況次第じゃそのことも考えていた。だから〝できる限りの協力〟という幾らでも解釈のしようのある言葉を使った。これはなかなかどうして拾い物か？

もう少し試してみるか。

「リンフィア。その場合、もしも俺が約束を破ったらどうするつもりだ？」

「あなたに不利となる材料をもって、ほかの陣営に駆け込みます。それを報酬として村を救ってもらいます」

俺とセバスは同時に互いの顔を見る。

Ａ級冒険者で多くの状況に対応できる戦闘能力を持ち、それなりに駆け引きもできる。一人で冒険者として生活できていたわけだし、いろんな知識もあるだろう。フィーネの護衛をいつまでもエルナに任せておくわけにはいかない。エルナだって任務があるからだ。そう思えばリンフィアはその穴を埋めるには絶好の逸材だ。ぶっちゃけ、性格的にも能力的にもエルナよりよほど近衛《このえ》に向いている気がする。

「では取引はなしと言ったら？」

「それはそれで構いません。同じ話をほかの帝位候補者に持っていくだけです。あなたは断ったという話を添えれば乗ってくるでしょう」

「ふむ……」

盤面を見る力もあるか。この状況でも眉一つ動かさない冷静さも評価ポイントだ。リンフィアにとって今は綱渡りの真っ最中のはずだからだ。

ここで俺が断ればリンフィアは間違いなく窮地に陥る。ほかの帝位候補者たちが俺と同じ条件を出すとは限らない。リンフィアは乗ってくると断言しているが、それは強く言って見せているだけ。ブラフだ。それでもリンフィアは動じないし、俺にすり寄ることもしない。わかっているからだ。試されていることが。

「セバス。どう見る？」

「申し分ないかと。協力していただけるなら強力な味方となります。ただし、村の案件は解決しなければいけませんが」

「天秤《てんびん》にかけるか……まぁしょうがない。俺に選択肢はないしな。リンフィア、君の取引を受けよう。君は俺に協力し、俺は君に協力する。それでいいな？」

「私は構いませんが……どうしてあなたに選択肢はないんですか？」

「俺の弟はお人よしだ。俺たちの最大の協力者である公爵の娘もな。君を見捨てれば二人は怒るだろうし、勝手に君を助けようとする。それなら初めから助けたほうがいい」

「……正直意外です。あなたの評判は決して良いものではありませんでした。無能で無気力。遊んでばかりの放蕩《ほうとう》皇子。弟に良いところをすべて持っていかれた出涸《でが》らし皇子。多くの民があなたをそう評していました。ですが、喋《しゃべ》った印象は真逆です。あなたは無能でも無気力でもない。実はレオナルト皇子ということはありませんか？」

少し俺を疑うようなまなざしをリンフィアは向けてくる。それに俺は苦笑した。

そういえば問題が厄介すぎて無能を演じるのを忘れてた。これは尚更《なおさら》リンフィアを手放せなくなったな。

「安心してくれ。俺はアルノルトだ。まぁ、とりあえず取引成立だ。よろしく頼むよ、リンフィア」

「……よろしくお願いします」

そう言って俺とリンフィアは固く握手を交わしたのだった。

9

出立の準備が着々と進むある日のこと。俺は勇爵家の屋敷に来ていた。

どうして勇爵家に来たかといえば、フィーネを匿《かくま》ってくれた礼を個人的にしようかなと思ったからだ。

「どうしたの？　アル？　今は忙しいんじゃないのかしら？」

「俺は大して忙しくないさ。全部レオに任せてるからな」

屋敷の入り口で俺を出迎えたエルナは俺の返事を聞くと、腰に手を当てて呆《あき》れたようにため息を吐《つ》いた。

「またそういうことして……レオに押し付けてばかりいるとレオがまいっちゃうわよ？」

「そこらへんの匙《さじ》加《か》減《げん》は心得てる。それにいいんだよ。あいつは仕事がないと自分で仕事探すから」

適当に仕事を振っておくのが一番というのが、これまでの経験から来た最適解だ。

それでもエルナは不満顔だ。レオに押し付けるというよりは、俺がサボっていることが不満だからだろうな。

「そんな風に言って自分が楽したいっていうのが一番なくせに」

「弟は兄が楽をするために存在するからな」

俺が舌を出してそんなことを言うと、エルナは再度ため息を吐く。

いつも通りの軽い会話。それを終えると俺はエルナを真っすぐ見ながら本題を切り出した。

「この後空いてるか？」

「なに？　デートにでも誘うつもりかしら？　そういうつもりならもうちょっと工夫が」

「うん、まぁそんなところだな」

得意気に俺を馬鹿にしようとしてたエルナが硬直する。そして固まったまま顔がどんどん赤くなっていく。

わかりやすい奴だな。まったく。

「フィーネを匿ってくれたお礼に食事でもと思ってな。どうだ？」

「そ、そういうことね！　お礼なのね！　そ、それなら納得だわ！」

「なんだと思ったんだか……それで？　予定は空いてるのか？」

「そうね……空いてるわ。たしかどっかの伯爵が来るはずだけど、まぁ会わなくても平気よ」

可哀想《かわいそう》な伯爵もいたもんだ。ようやく勇爵家のお嬢様と会えると思ったらすっぽかされるなんて、相手からすれば地獄でしかないだろうな。

「昼飯だけだ。夜は会ってやれよ……」

「誰と会って、誰と過ごすかは私が決めるわ。ちょうど久々に帝都を見て回りたいと思ってたの。付き合って」

「いや、昼飯だけ……」

「お礼なんでしょ？　準備してくるから待ってて」

俺の言葉を聞かずにエルナは笑顔で屋敷の奥へ行ってしまう。引き留めようとして中途半端に出した手を閉じたり開いたりしたあと、俺は深いため息を吐いた。昼飯だけの予定だったが、たぶん一日コースだな。

そのまま俺は三十分ほど待ちぼうけを喰《く》らった。まぁ女の準備なんて長くて当然だし、別に待つのは苦痛ではない。ただエルナにしては珍しい。割といつも早めに出てくるんだが。

「お待たせ」

そう言ってエルナが小走りでやってきた。

白いブラウスに紅《あか》いミニスカート。そして頭には小さめの黒い帽子。似合ってはいるし、綺麗《きれい》だとも思う。しかし、目立つだろうな。

そんな感想を抱いていると、俺はあることに気づいた。エルナの帽子は魔導具なのだ。

「目立たない対策は？」

「この帽子は認識阻害の魔法が掛かってるから、勇爵家の人間って気づかれることはないわよ」

さすがは勇爵家。そこらへんの魔導具はしっかり持ってるか。

まぁ認識阻害の魔法がかかっていても、エルナと気づかれないだけで目立たないわけじゃないんだが。見た目の良さはどうにもならん。そこらへんは気づいてないのがエルナらしいといえばエルナらしいな。まぁいいか。

「んじゃ行くか。どこ行きたいんだ？」

「懐かしい場所を巡りたいの。帝都をゆっくり見て回る機会って、最近はなかったから」

「大して変わってないと思うがな」

そんな会話をしながら俺たちは帝都へ繰り出したのだった。

■■■

「ここは変わってないのね」

そう言ってエルナが立ち止まったのは大通りの横にある小さな路地裏だ。

俺からすればあまり良い思い出のない場所なのだが、なんだかエルナは嬉《うれ》しそうにそこへ入っていく。

「覚えてる？　ここでアルがいじめられてたのよね？」

「ああ、よく覚えてるよ」
七、八歳の頃だっただろうか。猫をイジメていた子供たちから猫を助けて逃がしたものの、反撃の手段のない俺は四、五人に蹴られまくった。地面に横たわって、亀のように耐えてるとどこからともなくエルナが現れた。そして。
「子供をボコボコにするお前を止めるのは大変だった……」

「寄ってたかって一人を殴る彼らが悪いのよ。しかも皇子を」

「皇子だって明かさなかったしな」

誰もが俺を出涸らし皇子と馬鹿にするが、それでも民が俺を殴ることはまずない。せいぜい野次《やじ》を飛ばす程度だ。皇子だと明かせば彼らも止まっただろう。まぁ嘘《うそ》だと言われてしまう可能性もあったし、その手段に出る前にエルナが来たわけだが。

「それでも許せなかったのよ。アルは泣いていたし」

エルナは当時の怒りを思い出したかのように拳を握るが、それに俺は待ったをかけた。

「おい、待て。記憶を改竄《かいざん》するな。俺は泣いてないぞ？」

「え？　泣いてたわよね？」

「〝そのとき〟は泣いてない。その後に、お前が剣の稽古と称して俺をイジメたときに泣いたんだ」

「イジメとはなによ⁉　しかも私との稽古で泣くってどういうことよ⁉」

「普通にお前にしごかれるほうが辛《つら》かったからだな。今でも思い出せる。頼んでないのに剣を持たされ、ボコボコにされる。倒れると立てってって言われるし、立つとボコボコにされるし。うん、やっぱりあれはイジメだ」

「イジメじゃないわよ！　アルに立派な皇子になってほしかっただけよ！　だいたい、非力で貧弱なのに揉《も》め事《ごと》に首突っ込むアルが悪いのよ！　心配して、護身術くらいはって思ったのよ！」

「あれで護身術の稽古のつもりだったのか――ああ、なるほど。お前から身を守れっていう、ごふっ！」

「違うわよ！」

　横から思いっきり脇腹を殴られた。肋骨《ろっこつ》を避けて、内臓を殴打するその無駄な技術のせいで俺はしばらく息ができずに悶絶《もんぜつ》する羽目になった。

「もう！　せっかくいい思い出に浸ってたのに」

「いい思い出なのはお前だけだ……」

　ようやく息ができるようになった頃、エルナがそんな理不尽なことを言ったため、そう言い返す。助けたまでで終わればいいが、その後があるのがエルナという女だ。助けただけで終わらず、次は悪ガキに勝てるようにと盛大なお節介を働く。子供の頃はそんなんばかりだった。

外に出る度、たぶんセバスが護衛として後からついてきていたんだろうが、セバスが俺の前に現れたことはない。エルナが来るとわかっていたからだろうな。

子供の頃は古代魔法も使えなかったし、正真正銘の無能皇子だったからな。

「なによぉ……私との思い出は楽しくないっていうの？」

拗《す》ねたような表情でエルナが問いかけてくる。珍しいことだが、だからといって意に反する答えを言っても仕方ない。

「まぁだいたいそうだな」

「アル～？　聞き間違いかしら～？」

「脅しには屈しない。お前だって楽しかった思い出なんて大してないだろ？」

「楽しかったわよ！　稽古の合間、外に出てアルたちと遊ぶのが息抜きだったんだもの……私悲しいわ。昔のアルは素直で可愛《かわい》かったのに……」

「美化するな……昔から俺はこんな感じだ」

過去の俺を勝手に素直だったと美化するエルナに呆れる。たしかに昔のほうが大人しかったかもしれないが、本質は変わらない。エルナに対して言いたいことは言ってたはずだ。

それでも素直と思っているなら、たぶん昔のエルナが俺の言うことを聞いていなかっただけだろう。

やはり理不尽な奴《やつ》だ。しかし、一つ腑《ふ》に落ちないことがある。

「なぁ、エルナ。よく考えたら毎回毎回、なんで俺が外に出るとお前は俺のところに来たんだ？」

「セバスが伝えてくれたのよ」

「あの執事……護衛が面倒だっただけじゃないのか……？」

長年の謎がようやく解けた。気ままに城を抜け出しているのに、なぜかエルナがやってくるのを子供心に不思議に思っていたんだが、そんな裏事情があったとは。

子供の頃からエルナは馬鹿みたいに強かったし、エルナが傍《そば》にいるなら俺への護衛は必要ない。同年代のほうが気を遣わずにいいだろうという配慮かもしれないが、気配を消してられるセバスならそもそも気を遣わせないで済む。これは面倒だっただけ説が濃厚だな。

「お父様もアルのところへ行くって言えば稽古中でも行かせてくれたわ」

「まぁ勇爵は皇族を尊重してるからな」

「そうね。それだけじゃないけれど」

エルナがそんな意味深なことを口にする。いつもはっきりと物を言うエルナからすればこれまた珍しい。首を傾《かし》げる俺に向かってエルナは手を差し出す。

「いつか教えてあげるわ。とりあえず次に行きましょ！」

「次って、この調子で帝都を回るのか？」

「ええ、もちろん！」

そう言ってエルナは楽しそうに俺の手を引く。十一歳で近衛《このえ》騎士になったエルナは、任務で各地を飛び回った。当時は父上も精力的に帝国を回っていたし、そうでなくても父上の代わりに皇帝の目として帝国を回るのも近衛騎士の務めだ。

特にエルナは十二歳で聖剣を召喚して見せたアムスベルグ家の神童。国境付近にエルナがいるだけで外交を有利に進められたりする。そんな思惑もあってエルナが帝都に帰ってくるのは一年に一度あるかないか。

騎士狩猟祭で皇帝が危機に陥ったため、近衛騎士団の大半は現在、帝都にいるが、そのうち任務を割り振られて各地に飛んでいくだろう。エルナにとっては今が帝都を回るチャンスなのだ。

本心としては昼食だけ食って、終わりたいところだが……まぁお礼でもある。このまま付き合うとするか。

「次はどこ行くんだ？」

「うーん、歩きながら決めましょ！」

「はぁ、適当だなぁ」

そんなことを言いながら俺たちは懐かしい場所巡りを始めたのだった。

■■■

帝都の各地を歩き回り、昔の思い出に浸ったエルナと俺は適当な店で昼食を済ませた。

本来ならもっとちゃんとしたところで昼食をご馳走《ちそう》する気だったんだが、エルナがそれを時間がかかるからと却下した。

エルナの中では帝都巡りのほうが大切なんだろうな。

「さぁどんどん行くわよ！」

「元気だなぁ」

呟《つぶや》きながら俺はエルナの後を追う。

その後、エルナは帝都の外周部に行って、自分を貧乳と馬鹿にした悪ガキどもを遊びと称して制裁し、彼らが遊んでいた広場を乗っ取ったり、その悪ガキたちが、前に俺と歩いていた女のほうが巨乳だったという情報に激怒したり、懐かしい店が無くなってることに不満を露《あら》わにしたりと、やりたい放題してくれた。

そして、そろそろ俺がついていくのがしんどくなってきた頃。俺の頬《ほお》に水滴が落ちてきた。

「まいったなぁ」

小さく呟きながら俺は空を見上げる。晴天だったはずが突然曇り空へと変わっていた。

ゴロゴロとなっているし、ポツポツと雨も降り始めた。

どこかで雨宿りするのが賢明だろうな。

それはエルナもわかっているようで、早足でどこかへ向かっている。しばらくは黙って進む方向についていったのだが、どうも嫌な予感がしてきて俺は行き先を訊《たず》ねることにした。

「なぁエルナ？」

「なに？」

「どこ向かってるんだ？」

「宿屋よ。昔よく行ったでしょ？」

そう、覚えている。遊んだ帰りに立ち寄る宿屋だ。なぜ宿屋に立ち寄るかというと、珍しく部屋ごとに風呂のある宿屋だったからだ。もちろん高級だ。庶民はたぶん一生来ることはない。部屋に一つ風呂があるということは、お湯を出す魔導具が部屋ごとにあるということだ。そんな魔導具はさすがに高価だし、使う度に魔力を消費する。コストが高いのだ。

だが、そんな高級宿を昔からエルナは汗流しのために使っていた。理由はその宿をオープンするときに先代の勇爵、つまりエルナの祖父が多くの魔導具を提供したからだ。そのためエルナは顔パスで宿を使える状態だった。

そのときの感覚で宿に行こうとしているんだろうが、それは大きな間違いだ。

「おい、エルナ。悪いことは言わないからやめておけ」

「あら？　なんかまずいことでもあるのかしら？」

「そんなことはないが、やめておけ」

「怪しいわねぇ……子供たちが言ってた女性と行ったのかしら？」

こちらを問い詰めるようにエルナは目を細める。まったく、こういうときは本当に察しが悪い女だなぁ。

ため息を吐《つ》きつつ、俺はエルナに衝撃の事実を伝えようとする。だが、その前にエルナがとんでもないことを言い放った。

「エルナ、あのな……」

「私は行くと言ったら行くわ！　騎士に二言はないのよ！」

「……はぁ」

呆《あき》れた表情で深くため息を吐く。この女はどうしてそうやってすぐに騎士という言葉を使うんだろうか。

「なによ？」

「まぁいい。見た方が早い」

そう言って今度は俺がエルナを先導する。そしてすぐにお目当ての宿に到着した。懐かしい宿ではあるが、その外観は大きく変わっていた。一番変わっていたのは看板だ。それを見てエルナは顔を赤くして言葉を失っている。

「……え？」

「わかったか？」

看板に書かれていたのは〝愛の宿〟。それは男女がベッドを共にするための高級宿のことだ。帝都に数軒しかないもので、庶民の中には知らない者も多い。

先代から引き継いだここの二代目が数年前に路線を変更し、高級宿を愛の宿へとリニューアルさせた。これが大当たりで今、多くの貴族に人気な愛の宿となっている。

元々設備は整っているし、貴族が愛人やら恋人やらを連れ込むにはうってつけの場所というわけだ。

「ここはカップル限定のそういう宿だ。お前が身分を明かして入ったりしたら大変なことになるぞ？」

宿自体の口は堅いが、客はそうはいかない。エルナが入っていくところを見られたら帝都中が大騒ぎになる。なにせエルナは勇爵家の跡取り娘。その結婚は国にとって大切な行事だ。おそらく父上も巻き込んだ大騒動となるはずだ。

そんなわけで俺はエルナに目的変更を申し出るが、エルナから予想外な言葉が飛び出てきた。

「ほら、ほかのところ行くぞ」

雨に濡《ぬ》れるのは嫌だが、背に腹は代えられない。一時の雨を防ぐのに愛の宿に入るのはさすがに問題がある。相手がエルナなら猶更《なおさら》だ。エルナだってそうだろうと思い、俺は来た道を引き返そうとする。だが。

「いえ……は、入るわ……」

「はぁ!?」

予想外な事態に頭が混乱したんだろうか。エルナは顔を真っ赤にしながら宿へと進もうとしている。それを慌てて止めつつ、俺は再度告げる。

「ここは愛の宿だぞ？」

「か、か、関係ないわ……き、騎士に二言はないもの」

「聞かなかったことにしてやるから……」

「だ、駄目よ！　騎士という言葉を使った以上は、ぜ、絶対に入るわ！　だ、大丈夫よ！　私だって気づかれなきゃいいだけだもの！」

たしかにまぁ、エルナだと気づかれなきゃ問題はない。俺がどこにいようと大して噂《うわさ》にはならんしな。

　しかし、こいつ本当に面倒な性格してるなぁ。エルナは自分で決めたことを曲げない。それが些細《ささい》なことであってもだ。一度でも決めたことを曲げれば、その後も曲げてしまう。一度でも決まりを曲げれば、これまで努力してきたことが無意味になってしまう。そういう考えをもっているらしい。

　そんなことはないとは思うんだが、本人が固く信じ込んでいるからどうしようもない。

「は、入るわよ！　ただの雨宿りだし、へ、部屋は別々よ⁉」

「あほか、この宿に来て部屋を別々に取るカップルなんているわけないだろ」

「えっ⁉」

　エルナの顔が非常に気弱なものへと変化する。男とそういう部屋に入るというのはエルナにとってはハードルの高いことなのだ。もちろん、そういう行為をするわけじゃないとはわかっているだろうし、相手は親族に近い俺だ。他の男と入るよりはマシだろうが、それでも躊躇《ちゅうちょ》してしまうんだろう。

　だが、エルナにとって先ほどの言葉は騎士の宣誓に近い。譲れないんだろう。

　雨足はどんどん強くなっている。すでに俺もエルナも服が濡れている。このまま別のところで雨宿りというのは体に悪い。下手したら風邪ひきかねん。俺が。

　小さくため息を吐くと俺はさっさと宿へと入る。そして手早く部屋を取り、エルナの手を摑《つか》んで二階にある部屋へと入った。

「しばらくここで時間潰しだな」

言いながら俺は自分の服を見る。宿の前で話していた間にかなり濡れてしまった。一旦、脱いで乾かすべきだろうな。

「なぁ、エルナ……」

「こ、こっち見ないで！」

そう言ってエルナが自分の体を抱くようにして隠す。チラリと見た限り、雨で濡れて服がガッツリ透けていた。胸当てがないため、いつもよりさらにボリュームのない胸の形が脳裏に焼き付く。意識しないように目を逸《そ》らして、俺は部屋にあるはずの浴室を探す。だが、すぐに探したことを後悔した。

「嘘《うそ》だろ……」

俺は見てしまった。白い浴槽が置かれた空間を。外から丸見えの〝ガラスで覆われた〟変態的な浴室を。

もはや浴室と言っていいのかもわからない。なぜこんな作りにしたのか理解に苦しむ。

「仕方ない……エルナ、俺は外に出てるから入っていいぞ」

そう言って俺は部屋の外へ向かう。体は冷え切るだろうが、どっちも風邪を引くよりはましだ。

そんなことを思っていると、俺の服が掴まれた。

「いいわよ……私が外に出るから……騎士だもの」

「女にそんなことさせられるか。通路で一人待っているってことはほかの客に見られるんだぞ？　どんな嘲笑を受けるかわかったもんじゃないぞ？」

同室の男に追い出された女。周りからはそう見えるだろう。それはきっとエルナには耐えきれない屈辱だ。

「そんなのアルも一緒でしょ……？　私は身元がバレてないけど、アルは身元がバレてる。きっとまた馬鹿にされるわ……」

「いつものことだろ？」

「私のせいでアルが馬鹿にされるのは嫌……」

「お前なぁ……じゃあ二人で風邪を引くか？」

「……片方が入ってる間、片方が見なければいいだけでしょ？」

エルナが顔を赤くしながらとんでもない提案をしてきた。

「お前……正気か？」

「正気よ！　もう！　アルが先に入って！」

エルナはそう言って部屋の隅にいって、椅子へ座ってしまった。

そう言われた俺はしばらく動けないでいたが、このまま時間が流れてもきっとエルナは浴室には入らない。そうなれば風邪を引くことになる。

仕方なく俺はタオルをもって、浴室に入ることにしたのだった。

■■■

「上がったぞ」

「早いのね」

「ゆっくり入ってられるかよ」

エルナにそう言いつつ、俺は白いバスローブを整える。濡れた服は干してあり、着られるのがこれしかないのだ。なんだかエルナの前でバスローブを着ていることに猛烈な違和感を覚えつつ、俺はエルナが座っていた椅子に座る。

すると後ろから衣擦《きぬず》れの音が聞こえてきた。エルナが服を脱いでいるのだ。自分が脱いでいるときは気にならなかったが、聞く側になるとなんだか緊張してしまう。

気を紛らわせようと視線を彷徨《さまよ》わせているとベッドの端のほうに鏡があることに気づいた。気づいてしまった。

「っっ⁉」

そこには服を脱いでる最中のエルナがバッチリ映っていた。

白いブラウスを脱いだエルナは、紅《あか》いスカートに手をかけ、スッと落として足を抜く。

上下お揃《そろ》いのピンクの下着はフリルのついた女の子らしいデザインで、普段のエルナを知る人からすれば意外に映るだろう。

雨に濡れていたせいか、下着も肌にぴっちりと張り付いており、エルナは気持ち悪そうに顔をしかめながら下着にも手をかけた。

このまま見ていたいという男ならではのスケベな本能とさすがにまずいだろうという理性がぶつかりあう。なにがまずいって覗《のぞ》いたのがバレたら俺の首と胴体は永遠にさようならだ。

そんなことをしているうちにエルナがブラジャーを外し、同年代の女性と比べると発育に乏しい胸を露《あら》わにする。そしてそのままショーツに指をかけた。

そこでようやく俺は思いっきり首を逆に向けた。

危なかった……。スケベ心に負けていろいろと失うところだった。主に命とか。

そのままジッとしていると水温が聞こえてくる。体を洗う音も聞こえてくるため、嫌でもさっきの光景を思い出して、そのまま想像してしまう。

ガキじゃあるまいし、妄想もいいかげんにしろ。

自分に言い聞かせて、雑念を振り払う。そして天国のようで地獄のような時間が終わり、エルナが風呂を出た。

「もういいわよ……」

エルナが小声で告げる。

そちらを向くとエルナもバスローブに身を包んでいた。だが、顔は真っ赤だ。なんとか平然としようとしていたようだが、俺の視線に耐えきれなくなって布団の中に潜り込んでしまった。

「ううう……」

「そんなに恥ずかしいなら初めから宿に入らなきゃいいだろうに……」

「だってぇ……」

たぶん半泣きだな。声はいつもと違って弱々しい。さすがにこの状況は心に深いダメージを与えたらしい。

「一度でも騎士としての言葉を破ったら……今までの言葉も薄っぺらくなるじゃない……誓いとか覚悟とか……」

「ならんだろ。少なくとも俺はそうは思わんよ」

「私が思うのよ……だから私は騎士としての言葉を破らない……」

「それで泣いてちゃ世話ないな」

「泣いてないわよ……」

そう答えるエルナの声は涙声だ。呆《あき》れてため息を吐《つ》くとエルナはなぜか逆ギレしはじめた。

「アルが悪いんだから！　私を煽《あお》るようなこと言うから！」

「俺のせいかよ……」

「だいたいなんでここが愛の宿になったって知ってたのよ⁉　誰と来たの⁉　さっきの子供たちが言ってた巨乳の女⁉」

「はぁ……逆ギレする元気があるなら平気だな」

「誤魔化《ごまか》さないで！」

　エルナに問い詰められた俺は少し押し黙る。エルナはさきほど、悪ガキたちを懲らしめた際、俺がほかの女と歩いていたという情報を耳にしてしまっている。知られてしまった以上は、無理して隠しておいても仕方ないか。

　そう判断して正直に打ち明けることにした。

「俺がまれに行く娼館《しょうかん》には幼い頃に親に売られて、娼婦《しょうふ》として生きるしかない女性がたくさんいる」

「？　それと何か関係あるの？」

「そういう娼婦の一日を買って、愛の宿に連れていくって名目で外に連れ出してるんだ。子供たちが見たのはその一人だろうさ。娼婦はお断りって店でも俺と一緒なら入れるしな。まさか皇子が娼婦を連れて歩いてるとは誰も思わんだろうし」

「そんなことしてたの……？」

「娼館からしても彼女たちに与えられるのは娼婦の仕事しかない。仕方ないことだ。飢えないだけマシだろうさ。けど、彼女たちだって外を自由に歩き回ってみたいと思ってる。いろんなお店に行って、遊んでみたいって。だから連れ出してるんだ。それで何かが変わるとは思ってないが、やらない善よりやる偽善だと思うからさ」

愛の宿についた娼婦たちは俺に抱かれてもいいと口にする。だが俺はそれに応じたことはない。そんなことをすれば、それが目的のように思えてしまうからだ。

偽善者を気取るなら最後まで偽善者でいるべきだろう。それが筋を通すということだ。

「……もっといろんな人にわかるようにやればいいのに」

「わかるようにやったら止められる。皇族が街のなんてことない娼館に遊びにいってるなんて知れたら大事だ。抱くなら高級娼婦にしろとか言われたらイラっとするしな」

「でも……アルの評判が下がる一方よ？　女遊びをしてるって思われたら……」

「いいさ、別に。女遊びをしてることに変わりはないし、女遊びをしたことないわけでもない」

潔癖の身というわけじゃない。汚れているからこそ、どんなに汚れても平気なんだ。もはや俺の評判は下がりようがない。

「アルは……辛《つら》くないの？」

「一人なら辛いかもな。けど、俺は一人じゃない。ちゃんと俺を認めてくれている人たちはいる。お前もそうだろ？」

「……そういう言い方はずるいわよ……」

エルナは消え入りそうな声で呟《つぶや》く。若干、拗《す》ねたような口調になっているのは気のせいじゃないだろう。

その後、俺たちは他愛《たあい》のない話をしながら服が乾くのを待った。久々にゆっくりとしたエルナとの談笑の時間は驚くほど楽しいものだった。

10

アルとレオが大使として帝都を出発する日。正式な立場で出発するため、皇帝より言葉を掛けられ、しっかりとした護衛の下で二人は港に向かうことになっていた。

そんな二人にとって不安は一つ。自分たちが旅立ったあとに残された者が無事に難局を乗り切れるかどうかだった。

「じゃあ後のことは任せたよ。マリー」

「はい。お任せください」

アルは事前にリンフィアという新たな人材を登用し、絶対の信頼を置くセバスと共にフィーネの補佐につけた。それに対してレオは自らのメイドにして、秘書のような役割を担っていたマリーに自分の勢力を任せることに決めていた。

「僕らがいない間、きっとほかの勢力は攻撃を仕掛けてくると思う。フィーネさんと協力しながら乗り切ってほしい」

「こちらは大丈夫です。レオナルト様の側近は全員残る形になりますし、勢力の旗印としてフィーネ様もおられます。私が心配なのはレオナルト様のほうです」

マリーの心配を受けてレオは苦笑する。マリーが言わんとすることがわかったからだ。

「僕の周りが手薄って言いたいのかい？」

「率直に申し上げれば、そうです。エルナ様がいるため護衛という点で心配はありません。ただそれ以外の部分では人材的に手薄かと」

「平気だよ。兄さんがいるからね」

「そこが一番の心配です」

マリーはきっぱりと言い切った。その容赦のなさにレオは苦笑する。マリーは表情も変えず、声のトーンも変わらずに手厳しいことを言う。相手がアルでなければ怒っていてもおかしくはないだろう。しかし、アルは怒ったりはしない。そのことがマリーにはなおさら歯痒《はがゆ》かった。皇帝を目指すレオの兄。馬鹿にされればレオが軽んじられたも同然だ。そうであるならば怒るくらいの反応は見せてもらわねば。そうマリーは考えていた。

だが、そんなマリーを諭すようにレオは告げる。

「いいかい、マリー。君は知らないだろうけど、兄さんはとてもすごい人なんだよ」

「レオナルト様はアルノルト様を美化しすぎなのです。子供の頃にどんな思い出があれ、今には繋《つな》がりません」

「そんなことないさ。いずれ君もわかるよ。誰もが兄さんを出涸《でが》らし皇子と呼ぶけれど……そんなことはないんだ。僕は自惚《うぬぼ》れではなく、大抵のことは努力すればできるんだ。けれど、兄さんは違う……その気になりさえすれば兄さんは大抵のことは努力なしでできる。だから心配しないでいいんだよ。僕の傍《そば》にはそんな兄さんがいるんだ」

そう迷いなく告げたレオを見て、マリーは少し表情を曇らせた。レオの言い分が正しいとするならば、そこまで優秀な兄はいずれレオの障害になりかねない。また、レオが過度にアルを買っているとなれば、それはそれで他者に付け込まれる隙になりかねない。

しかし、マリーはその考えを封じた。仕えると決めたとき、レオのことを支えると誓ったからだ。どのような道であれ、レオが進むと決めたならば助けるまでのこと。

「レオナルト様がそう仰《おつしや》るなら、もう何も言いません。ご武運をお祈りしております」

「うん。苦労ばかりかけてごめん。きっと役目を果たすよ」

そんな会話のあと、レオは馬車に乗り込む。

こうして帝国使節団は帝都を出発したのだった。目指す先は大陸南部。

二つの国がいがみ合う不安定な地域だった。

第二章　異国へ

Episode 2

1

フォーゲル大陸は翼を広げた鳥と評されることがある。

左右に広がった大地と上下に少し飛び出た大地が、翼と頭と尻尾に見えなくもないからだ。そんなフォーゲル大陸の中央、つまり胴体部分を領土とするのが俺たちアードラシア帝国だ。そしてそこから俺とレオが派遣されるのは尻尾の部分。

大陸南にあるその国の名はロンディネ公国。尻尾部分にある二つの国の一つだ。

「南部戦国時代を勝ち抜いた二つの国の一つか……」

これから向かう国の資料を読む俺がいるのは船の上だった。全権大使であるレオをトップとする帝国使節船団だ。二隻からなり、それぞれロンディネに対する手土産を積んでいる。一応、片方にレオが乗り、もう片方に俺が乗っている。万が一、事故が起きたときのためだ。ここらへんはそれなりに穏やかな海だし、万が一なんて起きるわけないんだが。

俺が乗っている船に一人だけ壮絶に震えている奴《やつ》がいる。

「こんな穏やかな海で震えてたら他所《よそ》の海に行けないぞ？」

「い、行かなくていいわよ……」

ベッドの上で布団をかぶって震えているのはエルナだった。どうしてこいつがここにいるのか、そして震えているのか。まぁ話したところで長くはならない。

単純に全権大使の護衛には慣例として近衛《このえ》騎士が当てられる。それに兄姉《きょうだい》がエルナを推挙しただけの話だ。俺たちに協力的な人物は一人でも帝都から引き離したかったんだろう。まぁその程度のことは見越していたし、備えとしてフィーネの傍にはリンフィアを置いてきた。大丈夫だろう。

聖剣を使える勇爵家の者を国外に派遣するというのはかなり問題があるんだが、それはそれで今回の親善への本気度を示せるという利点もある。

結局、父上も三人の推挙を受け入れた。父上自身も一つの手として考えていたんだろう。

ちなみに問題というのは、そもそも聖剣を使える勇爵家の者は帝国の最重要戦力の一端を担っており、それが派遣されてはほかの国では防ぐ手段がない。これが勇爵家の者を派遣された国側の問題。そして勇爵家側の問題として、国外では皇帝の許可なく聖剣を使えないという問題がある。これは勇爵家の者が裏切ったりして他国に渡ったときのために、初代勇爵が付けたセーフ装置だ。これについてはあまり知られていない。そもそも勇爵家の者が国外に出ることは珍しいからだ。

「呪ってやるわ……！　恨んでやる……！　あの三人、絶対に許さないわ……！」

「ガタガタ震えながら言っても説得力ないけどな」

んで、こいつがどうして震えているかというと、普通に海が怖いからだ。

エルナは風呂は平気だが、川とか海とかは駄目なタイプの人間なのだ。水恐怖症というやつだな。完璧に近いエルナにとって唯一の弱点といってもいい。正確には負けず嫌いなエルナが克服できなかった弱点というべきか。

海を見ると不安感から吐き気、めまいに過呼吸の症状が出てくるし、船に乗ったら乗ったで異常な恐怖で体の震えが止まらなくなる。これで外に出て大海原を見たらたぶんショックで気絶する。

「しかしまぁ、よく今までバレずにいられたな？　てっきりバレてるもんだと思ってたぞ」

「せ、聖剣を持つ勇爵家の人間は滅多《めった》に国外に出ないもの……帝国は陸地が多いし、わかっていたから十二歳の時に死に物狂いで聖剣を召喚できるようにしたのよ……船乗りたくなかったから……」

エルナはホロリと小さく涙を流す。そんなしょうもない理由で聖剣を召喚したのはエルナが初めてだろうな。しかもその努力が水の泡とか笑えてくる。

「い、今笑ったわね……!?　幼馴染《おさななじみ》が怖がってるのにひどいわよ……!?」

「その水恐怖症になった経緯を思い出せば笑うだろ。特に俺は」

「あ、アルにも責任の一端はあるのよ……!?　私が水を怖くなったのはアルが溺れたところを見たからなんだから……！」

そのとおり、八歳ぐらいの頃。俺はエルナと一緒に風呂へ入っていた。そのとき、なにかエルナの気に障るようなことを言ったようで、俺はエルナのボディーブローを喰《く》らう羽目になった。そしてそのまま気絶して風呂の中に沈んでいき、溺死しかけたわけだ。

そして何を血迷ったのか、こいつはその様子を見て水が怖いと思ったようで、水恐怖症になった。過去最高に理不尽極まりない理由だ。どんな暴虐な王でもここまで理不尽ではないだろう。

「自業自得だし、あれなら俺が水恐怖症になってもおかしくなかった。天罰だ、天罰」

「ううぅ……あんまりだわ……」

いつになく弱々しい感じでエルナが半泣きになる。

まったく、そんなに怖いなら辞退すればいいものを。なんでついてきたんだか。

「父上に言えば考慮してくれたと思うぞ？」

「ゆ、勇爵家の跡取り娘が海が怖いなんて知れたら醜聞じゃない……！　そ、それに海が怖いって言ったらなんか負けたみたいじゃない……」

「何と勝負してるんだよ、お前は……」

呆《あき》れていると船が少し揺れた。

それは大した揺れじゃなかったが、エルナには衝撃的な揺れに思えたらしい。

「きゃぁぁぁっっ!?　痛い!?」

小さなベッドの上で転がったあげく、頭を打って蹲《うずくま》っている。

その様子は陸地では絶対にありえないもので、新鮮だから気分がよかった。

「お前、水の上じゃ本当に役立たずだな。ここで海賊にでも襲われたら一巻の終わりだな」

「ば、馬鹿にしないで……！　いざとなったら……！　きゃぁぁ!?　今の揺れは大きかったわ!?　船の底に穴が空いたんじゃないのかしら!?」

「いざとなっても役立たずだろうな。空くわけないだろ。海竜でも出現すれば別だろうがな」

海の上で一番恐ろしいのは海の王者である海竜だ。

海に適応した竜であり、ただでさえ最上級モンスターである竜が海で暴れまわるのだ。

その恐ろしさは陸地以上だ。船を沈められて死んでいった船乗りは数知れない。

海戦を行っていた二つの国の艦隊がまとめて沈められたことだってある。当然、その恐ろしい話はエルナも知っていたのだろう。

海竜の話が出た途端、完全に心が折れたような表情を見せた。

「私……ここで死ぬの……？」

「死ぬわけないだろ、あほ。もはや別人だな。近衛騎士としてどうなんだ、それ。任務に支障が出るのに引き受けちゃあかんだろ」

「だってぇ……」

「はぁ……」

まぁ弱みを見せたくないって気持ちはわからんでもない。それに海の上で戦闘をするわけじゃないし、わざわざ護衛が厳重な使節船を襲う海賊もいない。

陸地に戻ればいつものエルナだろうし、イジメるのはこのくらいにしておくか。

いつもの仕返しをしてすっきりした俺は、エルナに内緒で結界を張る。外部と遮断する結界だ。これで少しは揺れもましになるだろう。普段ならとても使えないが、今のエルナじゃ気づくことはないし平気だ。

「す、少し揺れが収まったみたいね……」

「元々大して揺れてないけどな」

「あ、アルは鈍感すぎなのよ……。もしも船が沈んだらとか考えないの？」

「帝国の使節船が沈んだのは長い歴史で二回しかないぞ」

「だけど三回目が今日じゃないって保証はどこにもないのよ……？」

いつもとは違い、面倒なくらいマイナス思考だな。なんで安心させるために言った情報で怯《おび》えてるんだ？

もう何か言うだけ無駄だな。好きなだけ怖がらせておこう。

そんなことを思っていると、控え目なノック音が聞こえてきた。

エルナはそのノック音にすらビクリと反応する。返事ができる状態ではないので俺が代わりに返事をする。するとエルナの部下である壮年の騎士が入ってきた。

「どうぞ」

「失礼します……あの、隊長は？」

「い、生きてるわ……」

「甲板に上がれますか？」

「私に死ねと言いたいの……!?　風で飛ばされたら溺れるじゃない……！」

「お前の中では外は嵐か何かか？　今日は晴天だぞ。まったく……見ての通りだ」

呆れて部下を見ると向こうも苦笑している。さすがに直属の部下は知っているらしい。

まぁ隠し通せるわけがないしな。

「ではご報告だけ。アルバトロ公国の船が会談を求めています。一応、我々もレオナルト皇子の船も錨《いかり》を降ろしましたが、どうしましょうか？」

「アルバトロ公国か。もうあの国の海域に入ってたんだな」

アルバトロ公国はロンディネ公国の隣にある国だ。海洋国家であり、手広く海洋貿易をしている国でもある。かつて帝国が他国と戦争中に、その他国へ協力したため帝国とは疎遠になっている。

このタイミングで会談とはな。ロンディネに行ってほしくないんだろうな。会談といいつつ、実質は臨検だ。

「き、騎士は全員、部屋の中へ……刺激するのはよくないわ……」

「賛成だな。レオは何と言ってる？」

「それが……レオナルト皇子も気分が悪いようでして……それで隊長に意見を訊《き》こうかと」

「はぁ……仕方ない。俺がレオのフリをして対応する」

そう言って俺は部屋を出た。隣にはレオが乗る船がある。このまま会談を受けるサインを出せば、アルバトロ公国が乗り込んでくるだろう。

まぁさすがに帝国の使節船を隅々まで調べるってことはないはずだし、大丈夫だろうが。

隣の船に移ると俺はレオの部屋へ向かう。

そこには少し青い顔のレオがいた。さすがにこの顔で会談は受けられないな。

レオが着ている服は俺と同じ物だ。黒いシャツに鮮やかな青の上着。帝国の大使服だ。

本来、大使のみが着る服だが、今回は補佐官である俺も着ている。俺も大使に準じる立場ということだ。

最初は面倒だと思ったが、おかげでレオのフリが簡単にできる。

「よう、具合悪いらしいな？　船酔いか？」

「うん……そうみたい……」

「エルナじゃあるまいし、しっかりしろよな」

「ごめん……」

「今は俺がお前のフリをしてやる。お前は適当に隣の船で休んでろ」

「でも……」

「いいから行け。アルノルト皇子が気分悪くなったって言っておいてくれ」

「ですが、そのようなことを言えばまた殿下の評判が……」

「いいんだよ。今更変わらないから」

エルナの部下に伝えると、俺はレオを隣の船に移す。もちろん周りにはアルノルト皇子としてだ。

残った俺は髪と服装を整えて、締まった表情で部屋の外へ出る。

「会談の申し出を受ける。準備してくれ」

「はっ」

こうして俺は海の上でレオと入れ替わったのだった。

2

近づいてきたアルバトロ公国の船は軍船だった。数は三隻。

魔力によって弾を発射する魔導砲を備えた帆船だ。現在の軍船としては最新に当たる。

乗り込んでの白兵戦ならともかく、距離を取られたら俺たちは何もできないだろうな。

「攻撃はさすがにしてこないか」

「してきたら我が国と戦争ですからね」

「輸送ご苦労。向こうの二人は？」

「グロッキー状態です。試合なら即レフェリーストップですね」

レオを送ってきた壮年の騎士が俺の下に戻ってきた。彼だけが唯一入れ替わりを知ってるからな。傍《そば》にいてくれると助かる。

「それなら代役を使った俺は失格か？」

「バレなければいいんですよ。バレなければ」

俺の言葉にそんな風に返してきた。

エルナの部下とは思えないほど柔軟だ。ぶっちゃけ、俺の部下に欲しいくらいだ。

「そうか。それなら徹底的に演じるか」

「お供します」

そう言って俺と騎士は近づいてきたアルバトロ船の出迎えに赴いたのだった。

■■■

「会談に応じてくれたこと、お礼申し上げます。大使殿」

そう言って俺たちの船に上がってきたのは色素の薄い茶色の髪の少女だった。肩口で切りそろえた髪が風で微《かす》かに揺れる。

年は十四、五というところか。緑の瞳が興味深そうに俺を覗《のぞ》き込んでいる。

まさか年下と思われる人物が出てくるとは思っておらず、俺は少し驚いてしまった。

それを察したのか、少女はすぐに頭を下げた。

「御無礼《ごぶれい》を。私はエヴァンジェリナ・ディ・アルバトロ。アルバトロ公国の公女です。長いのでエヴァとお呼びください」

「あ、姉上待ってよぉ～……」

「それでこっちのとろいのがジュリオ・ディ・アルバトロ。私の弟です」

そう言って姿を現したジュリオの姿はエヴァと瓜二《うりふた》つだった。エヴァが男よりなのではなく、ジュリオが女よりなのだ。並んで見せられれば姉妹と言われても納得がいく。

エヴァは綺麗《きれい》な少女だが、その目には強い意志を感じる。一方、ジュリオは気弱そうでおどおどしている。どちらが女らしいかと言われると失礼だが、ジュリオのほうが女っぽい。まさかアルバトロの公女と公子が双子だとはな。しかも俺たちの船に乗り込んでくるとか何事だ？

具合の悪いレオを無理やり参加させなくてよかったぁと思いつつ、俺はレオらしく優雅に一礼した。

「僕の名前はレオナルト・レークス・アードラーと申します。帝国の第八皇子です。此度《こたび》、ロンディネ公国への全権大使に任じられ、今はその道中です。アルバトロ公国の公女殿下と公子殿下、そして海洋国家と名高いアルバトロ公国の軍船にお目にかかれたこと、光栄に思います」

すでに出発前にアルバトロには、レオを全権大使としてロンディネに派遣することを伝えてある。当然、彼らもそれを承知のはずだ。

だから彼らの目的は阻止ではない。阻止したきゃアルバトロ公国の海域を通ることを禁じればいいだけのこと。わざわざ自国の海域を通ることを許可しておきながら、入った瞬間、やっぱり行くなと言えばアルバトロは各国から信頼を失う。

だから今回、エヴァとジュリオが来たのは別の目的のはずだ。

「私もレオナルト皇子の噂《うわさ》は聞いています。帝国東部で津波が起きた際、多くの騎士を率いて突撃をかけたとか。さすがは帝国の皇子、勇猛であり軍才もおありなのですね」

「そのようなことはありません。騎士たちが奮闘してくれただけです。それに軍才ならばお二人もおありでは？　わざわざ公国の殿下方が軍船に乗って、僕に会いに来たということはないでしょう？」

その切り返しにエヴァが少し目つきを鋭くし、ジュリオがえっといった表情を見せた。

やはり別の目的があった。

俺たちに対してアクションを起こしたのではなく、別の目的があり、そこに俺たちが通りかかったということだろう。問題は公女と公子が出てくる目的とは何なのかということだ。二人の立ち振舞いを見る限り戦闘に長《た》けているようには見えない。

エヴァはまぁ少しは心得があるようだが、ジュリオはまったくそういう雰囲気がない。おそらく剣を持たせたら俺以下だぞ。そんなのをどうして連れてきているのか。

探りを入れようかと思ったら、エヴァがすぐに答えを明かした。

「顔に出すぎよ！　馬鹿ね！　本当に……」

「ご、ごめんよ、姉上……」

「はぁ……レオナルト殿下。こうなっては率直に言わせて頂きます。進路を変えていただきたいのです。ロンディネに行くことは止めませんができるだけ大回りでお願いします」

「理由をお聞かせ願えますか？」

「……できれば言いたくありません。あなたや帝国を信用できないので」

「なるほど」

ここまで堂々と帝国を信用できないと言うとは、なかなか剛毅《ごうき》なもんだ。アルバトロ公国は帝国と比べれば弱小国だ。海上貿易が盛んであり、攻めればほかの国を敵に回すため帝国は手を出さないが、やろうと思えば踏みつぶせるだけの力が帝国にはある。

それはアルバトロ公国もわかっているだろうに。それでもそう言うあたり、知られたら困る問題なんだろう。俺は周囲を見渡す。そして告げた。

「進路変更だ。予定より遠回りでロンディネに入る」

「で、殿下⁉ それでは予定したよりも日数がかかってしまいます！」

「構わない。食料や水には十分余裕を持っているし、多少の遅れはロンディネも目を瞑《つぶ》ってくれるさ」

「しかし！」

「もう決めた。これでよろしいですか？　エヴァ殿下」

呆気《あっけ》にとられた様子のエヴァを見て、俺は内心で笑っていた。

なるほど。レオみたいな行動をするとこういう反応が返ってくるのか。もしかしてレオはこういう相手の呆気にとられた表情が見たくてやってるのか？

それくらいエヴァの反応は面白かった。

「……さすがは帝位を争うお方。器が大きいですね。賢明な判断に感謝します。レオナルト殿下」

「か、感謝します」

「では私たちはこれで失礼します」

「し、失礼します」

そう言ってエヴァとジュリオは用件が終わったため帰っていく。

それに合わせて俺たちも出発の準備を始める。できればさっさとレオのフリはやめたかったが、俺たちが本当に進路を変えるのか向こうも目を光らせているので怪しい動きはできない。結局、俺とレオが入れ替わったまま船を出発させる羽目になった。

まぁ別にそれは問題じゃない。部屋にいれば目立たないし、陸につくまでぶっちゃけ俺やレオに仕事はない。問題なのはアルバトロの目的だ。

「何事でしょうか？」

「何事だろうな」

壮年の騎士の問いに俺も首を傾《かし》げる。

正直見当もつかない。わざわざ三隻も軍船を引っ張り出しておきながら、公女と公子が乗っていた。戦うならば公女と公子は不要だし、戦わないなら三隻の軍船は過剰だ。

そこらへんから考えられるのは威力偵察というぐらいか。あの二人が偵察向きの能力を持っているならまぁ納得はいく。だが、どこを偵察する？

あそこはアルバトロ公国の海域だし、大きな海賊団がいるとも聞いていない。

しばらく考え込んでいるといきなり船が大きく揺れた。

「なんだ⁉」

「報告！　嵐です！」

「なに⁉」

そんな馬鹿な話があるか。さっきまで晴天だったのに、いきなり嵐なんて。

そう思いつつ、俺は急いで甲板に上がる。するとそこでは暴風と高い波が船を襲っていた。さらに横を見ると厄介なことが発生していた。

「船長！　兄さんの船と離れてる！」

「お許しください！　こっちの船は転覆しないようにするだけで精一杯です！　向こうに追いつくのは無理です！」

「どうにかできないんですか⁉」

「無理です！　これは自然な嵐じゃありません！　いきなり兆候もなく現れたんです！　間違いなく海のモンスターが関わってます！」

そう船長が叫んだのを聞いて、俺は自分がエルナにした話を思い出す。

俺はエルナに海竜の話をした。よく聞く海竜の話は、突然嵐を起こして船を沈めるというものだ。まさしく今の状況だ。そしてそれを裏付けるのはさきほどのアルバトロ公国の態度。公女と公子が軍船を三隻も引き連れていた。

そして俺たちに進路を変えろと言ってきた。もしもアルバトロ公国が海竜が自分の海域付近にいることを知っていて、その調査をしに来ていたとしたら？

俺たちに伝えられるわけがない。アルバトロ公国は海上貿易で成り立っている。だが、どの国の船乗りも海竜がいると聞けばアルバトロ公国に船は出さない。自殺行為だからだ。

そこまで考え、俺は咄嗟《とっさ》に探知魔法を使う。調べたのは嵐の規模だ。

どこまで強風が吹いているのか。それを調べたとき、俺は思わず舌打ちをした。嵐は巨大であり、俺たちは端にいる。つまり発生地点はここじゃない。

おそらくアルバトロ公国の海域が嵐の中心だ。さらに厄介なことに船はどんどんその発生地点に流されている。

このままじゃ最悪、海の上で海竜と戦う羽目になる。そんなのはごめんだ。

「船長！　なんとか嵐から離脱を！」

「今やってます！」

こうして俺はレオのまま嵐に巻き込まれたのだった。

3

「船長、今どのあたりなんだい？」

レオのフリをしつつ、俺は船長へ現在地を訪ねた。嵐はなんとか静まったが、巻き込まれた俺たちはレオが乗る船とはぐれたし、かなり時間を取られてしまった。もう日が暮れはじめている。

転覆してもおかしくなかったレベルの嵐だが、そこは帝国の使節船だし、乗っているのは帝国海軍で鍛えられた軍人たちだ。どうにかこうにか乗り切れた。

「おそらくアルバトロ公国の海域でしょう。転覆せずに済みましたが、その分かなり流されてしまいました。いや流されたというよりは引っ張られたというほうが正しい言い方かもしれませんね。あの嵐は明らかに異常ですよ」

「となると、やっぱりモンスター絡みかな？」

「ええ、間違いないかと。自分は祖父の代から船乗りですが、あれは話に聞いていた海竜の嵐にそっくりです」

「海竜の嵐……どういうモノなんだい？」

「文字通り、海竜が起こす嵐です。しかも船を自分の方向にどんどん引き寄せるそうです。

嵐を乗り切っても、引っ張られた先には海竜がいるというわけです。船乗りなら聞いただけで怯《おび》える話ですよ。なにせ海竜は海に生きるモンスターの中じゃ最上級ですからね。姿を見るってことは死を意味します」

ふむ、話に聞く嵐とさっきの嵐。特徴は一致している。これはこの海域に海竜がいるということでいいのか？

そうだとしたら大問題だぞ。そもそも竜というのは活動期と休眠期を繰り返すモンスターだ。そしてそのサイクルは休眠期が圧倒的に長い。百年も休眠していた竜も報告されている。長く休眠し、短く活動する。それが竜という生き物なのだ。それは海竜も同じだ。記録を調べなきゃ駄目だが、このあたりで休眠期だった海竜が活動期に入ったということだろう。問題なのはアルバトロ公国は海洋貿易が盛んということだ。帝国とは距離を置いているが、それでも他国とは幅広く貿易している。その海域に海竜が現れたとしたら、どれほどの被害が出ることやら。

それがわかっていたからアルバトロ公国は極秘に調査していたんだろうが、この感じからするにガチめに竜の逆鱗《げきりん》に触れたようだな。おそらく嵐の発生原因はエヴァたちだ。あの嵐だ。もう生きてはいないだろうな。可哀想《かわいそう》に。

「そうか……なら長居は無用だね。兄さんたちも心配だ。すぐにロンディネに進路を」

「お、おい！　あれを見ろ!!」

指示を出そうとしたとき、一人の船員が声を出す。

嫌な予感がしてそちらを見ると、案の定、船の残骸が流れてきていた。

「公国の船か……」

「でしょうね。我々と同じく嵐に巻き込まれたんでしょう」

「残念だ……」

それで終わらせようとした俺に対して、傍《そば》にいた壮年の騎士が小声で囁《ささや》く。

「殿下……レオナルト皇子は間違いなく生存者の捜索を命じます……！」

「そんな時間はない。ここには海竜がいるかもしれないんだぞ？　さっさと離脱するに限るだろ……？」

「それはわかっていますが、あなたはレオナルト皇子らしく振舞わなければいけません。国家の代表である全権大使が双子とはいえ、入れ替わっていたなどと知られたら大問題です……！」

「わかってるが、さっきの嵐で船員も動揺してる。俺に違和感なんて持ちやしない……！」

「動揺しているからこそ、レオナルト皇子らしくしてもらわねば困るんです。ここで入れ替わりがバレたら動揺が拡大します。おそらく口止めもできないでしょうし、ロンディネに何を言われるかわかったものじゃありませんよ……？」

壮年の騎士の意見はもっともだった。ああ、もっともだ。しかしレオらしく振舞うということは俺が一番やりたくない行動をするということだ。この場での海難救助にメリットはない。そもそもアルバトロ公国は同盟国でも親しい国でもない。そんな国のために海竜が近くにいるかもしれない海域で救助活動するなんて馬鹿げている。

俺たちは暇じゃない。すでに日数をロスしてしまっている。ここで救助活動をすればロンディネへの到着はかなり遅れる。レオが先についたとしても意味はない。なにせ今のあいつはアルノルトだし、アルノルトは無能皇子だ。勝手にロンディネとの親善交渉を始めたら疑われてしまう。やっぱりさっさとロンディネに行きたい。エルナが傍にいるとはいえ、レオが俺をバレずに演じられるかも心配だしな。

それに救助活動をして多数の生存者がいたらアルバトロ公国に立ち寄らなきゃいけない。それが一番面倒だ。隠しておきたい秘密を知った帝国の皇子をアルバトロは素直に解放するか？

俺なら問題が解決するまで留《とど》めるに決まってる。そうなると俺とアルは入れ替わった状態を長く続けることになる。やはりダメだ。

「生存者はおそらく絶望的だろうし、早くここを」

「見ろ！　人が破片に摑《つか》まってる！　生きてるぞ!!」

「……」

「どうなさいますか？　お見捨てに？」

わかり切ったことを壮年の騎士が聞いてきた。ここまで来たらもう無理だ。助けるしかない。どうして俺の前にはどんどん問題が発生するんだ！　ああもう！

神がいるなら呪ってやる！

「ロープを降ろせ！　すぐに救助するんだ！　周囲を警戒して、ほかに生存者がいないかも探せ！」

レオっぽい指示を飛ばしつつ、俺の心には黒い暗雲が立ち込めていた。

今すぐに自分がアルノルトと明かして逃げてしまいたい。怖いからじゃない。海竜が来たって戦えばいい。だが、そうなれば非常に面倒なことになる。おそらく俺だけじゃ間違いなく対処不可能な混乱状態になる。それだけは避けなければいけない。

それなのにお人よしのレオナルトがそれを許してはくれない。

「生存者を救助いたしました！　話によればまだまだ生存者はいるとのことです！」

報告に来た乗員の言葉に思わず俺は意識が遠のきそうになった。

生存者の数が多いということは、それだけこの海域に留まる時間が延びるということだし、その生存者を乗せるスペースを確保しなきゃいけないということでもある。加えて、食料や水の計算も必要になってくる。

「アルバトロ公国は疫病神か……！」

「言葉にお気をつけを……！」

「言わずにいられるか……！　ああ、もう……！　最悪だ……！」

「こらえてください。これでレオナルト皇子の人徳の高さが広まります。危険な状況で救助していたと知れば、ロンディネも称賛こそすれ、レオナルト皇子を貶《おとし》めるようなことはしないでしょう」

「ロンディネとアルバトロは犬猿の仲だぞ？　南部の覇権を長く争ってる。そんな対立国を救って称賛されるか……？」

「我が帝国は南部の争いには関係ありませんし、我々は大国です。堂々としていればいいのです。ご納得いただけたなら覚悟を決めてください」

壮年の騎士に促され、俺は深くため息を吐《つ》き、意を決して顔を上げ、また顔を下げてため息を吐いた。

ああ、もう嫌だなぁ。レオの評判を落とさずに切り抜ける方法はないものか。

いや、ないなぁ。レオなら間違いなく助ける。それこそすべてを捨ててでも。

まず利益を考えられるような奴《やつ》なら、俺が助けるまでもなく皇帝になってる。

助け甲斐《がい》のある奴だが、今はそのお人よしな性格と評判の良さが恨めしい。

「船長。生存者を救助する」

「正気ですか⁉　ここには海竜がいるかもしれないんですよ⁉　救助活動中に襲われればひとたまりもありませんし、そのうち死体にモンスターが群がります！　海竜以外のモンスターだって脅威になるんです」

「嵐は去った。海竜も満足したんだろう。それに通常のモンスターは強力なモンスターがいた場所には近寄らない。相手は海竜だ。二、三日は平気だと思う」

「ですが、もう日が落ちます！　暗闇での救助活動は危険です！　光を使えば海竜を呼んでしまうかもしれません！」

「それでもできる限り救助活動は続ける。生存者の情報を基にして進路を決定してほしい。申し訳ないが、船長。これは全権大使としての命令なんだ。僕らは出来うる限りの手を使って、アルバトロ公国の生存者を救助する。生存者は一人も見逃さない」

「……噂《うわさ》は聞いていましたが、あなたは正真正銘のお人よしですね。この船を預かる船長としては承認しかねますが、あなたからの命令なら仕方ありません。救助しましょう」

諦めたように船長が折れる。気持ちはわかる。俺もあなたに賛成だ。こんな行為は馬鹿げてる。だが、これがレオなんだ。

仕方ないじゃないか。だからそんな恨めしい目で見ないでほしい。

こうして俺たちはロンディネに向かう途中でなぜか、海竜がいるかもしれない海域で救助活動をするという愚かすぎる行動を開始したのだった。

4

「みんなぁ……生きろぉ……生きるんだ……」

　船に備え付けられていた小舟にしがみ付きながら、ジュリオはそう叫んだ。すでに何度も同じことを言ってきたせいで、喉は嗄《か》れ始めていた。それでもジュリオは声を出す。それが自分の役目だと信じていたからだ。

　そんなジュリオの周囲には数十人の乗組員たちがいる。小舟には負傷者が優先的に乗せられており、周りの者は小舟にしがみ付いたり、破片にしがみ付いたりしている。

「で、殿下……殿下も小舟に……」

「いいんだ……僕はまだ大丈夫だから……」

　そんなことを言うジュリオだが、もはや余裕などなかった。すでに船が壊れ、海に放り出されてから十時間以上が経過していた。恐怖と水の冷たさに震える地獄の夜は乗り切ったが、いまだに助けは見えてこない。こうなるとは誰も想像していなかった。

　海竜が復活したかもしれないと知らされ、エヴァとジュリオは調査へ向かった。軍船を三隻も護衛として連れて行ったのは用心のためだった。誰も海竜を侮ってはいなかった。できる限りの用心でも足りなかっただけの話なのだ。

海竜が復活しているかどうか。それさえ確かめればいいと二人は父に言われていた。どうして二人が選ばれたかというと、二人は先天的に音を使った魔法が使えたからだ。それによって海の中を探査することは二人にとっては朝飯前だった。

誤算があったとすれば、その音を聞きつけて海竜がやってきたことだ。逆鱗に触れてしまったのだ。海竜は嵐を引き起こし、その嵐によってすべての船は大破した。幸い、海竜は船が大破した時点で退いたがそれは何一つ救いではなかった。

「うわぁぁぁ!? モンスターだ!? 今、下にモンスターの影がぁ!!」

「落ち着け！　ただの魚だ！」

生き残った乗組員は多くの恐怖と戦っていた。

死への恐怖。このまま助けが来ないのではないかという恐怖。このまま海の冷たさにやられて死んでしまうのではないかという恐怖。そしていずれ海のモンスターがやってきて自分たちを食べるのではないかという恐怖。それらが積み重なり、ジュリオたち生存者は疲弊し消耗していた。それでもジュリオは声を張った。

「必ず助けが来る……！　家族を思い出すんだ……！　生きるんだ、みんな……！」

そう言ってジュリオは生存者を励まし続けた。それは自分に言い聞かせている言葉でもあった。だが、いつものジュリオはそのようなことをしない。いやできない。

自己主張ができない性格だからだ。公子だからといって偉そうにもできない。

そんなジュリオをいつも引っ張ってくれたのはエヴァだった。だが、エヴァは今、小舟の上で寝ている。

海に投げ出されたとき、ジュリオを庇《かば》って強く海に打ち付けられて意識を失ったのだ。それ以来、ジュリオはエヴァのように気丈に振舞い続けた。目の前にいる姉のためにも生きなければと強く思っていたからだ。

緊急時ゆえに芽生えた責任感がジュリオを公子らしく振舞わせていたのだ。

とはいえ、ジュリオがいくら励ましたところで、それは焼け石に水であることに変わりはなかった。

「助けなんて……来るわけありませんよ……夜のうちに出航したってここにつくまでに一日以上かかるんですよ……？」

一人の乗組員が弱音をもらす。それはこの場にいる全員が思っていることだった。

アルバトロ公国の救助船はおそらく間に合わない。しかし、ジュリオには希望があった。

「嵐の規模を考えれば、帝国の船も巻き込まれていてもおかしくない……きっとレオナルト皇子が僕らを助けてくれる……」

「帝国が俺たちを……？　俺たちは帝国が戦争中の国に手を貸し続けたんですよ……？　あいつらが血を流す中、俺たちの国はそれを商売にしてたんです……こんな危ない海域で生存者を探すわけありませんよ……」

「レオナルト皇子はとても優しく、困った人を見捨てないと評判の人だ……大丈夫だ！　きっと助けにきてくれる！」

「同盟国でも救助を放棄するような状況なのに来てくれるかなぁ……」

「俺なら嵐が去ったらおさらばするぜ……海竜がいるような海域にはいたくねぇ」

「みんな……」

全員の気持ちが折れかけていた。それはジュリオだって同様だった。なんとかエヴァを見て気持ちを強く持っていたが、すでに体力も気力も限界だった。

そもそも体力という点ではほかの乗組員に比べて、ジュリオは大きく劣っている。もっともはやく脱落しそうなのはジュリオなのだ。それでも気力だけでジュリオは持ちこたえてきた。だが、そんな気力も意気消沈する周りに引きずられるようにして萎《しぼ》んでいく。

もうダメなのかもしれない。そんな考えが頭をよぎったとき。

遠くに何かが見えた。それはたしかに船だった。

「ふ、船だ……！　船がいる……!!」

「ああ!!　助かった！　おーい！　おー――い!!」

萎えかけた気力が復活する。皆が大きな声を出し、手を振って自分たちに気づいてもらおうとする。しばらくそれが続くが、やがて誰かが呟《つぶや》いた。

「て、帝国船だ……」

それは手を振るのをやめてしまうほどの情報だった。はためくのは帝国の国旗。形から察するに、前日に会った二隻の帝国船のうちの片割れだろう。

ここにいるのも嵐に巻き込まれたならば理解できる。

そしてこんなところにいるということは、通常の航路から押し戻されたことを意味していた。彼らの目的がロンディネであることをこの場にいる者は知っていた。

すでに遅れているのにさらに時間のかかる救助などするだろうか。

さらにここには海竜が潜んでおり、いつまた襲撃されるかわからない。

助けなくていい要素は揃《そろ》っていた。

そして一瞬、帝国船が船首の向きを変えた。絶望がジュリオの胸に押し寄せる。

しかし、そんなジュリオの耳に声が届いてきた。魔導具によって拡声されたものだ。

『僕は帝国第八皇子、レオナルト・レークス・アードラーだ。我が船は現在、アルバトロ公国船の生存者を救助中だ。順次、救助していくが余力のある者は船まで泳いできてほしい。余力のない者はあともう少し耐えてくれ。必ず助ける』

その声を聞き、ジュリオは自然と涙がこぼれてきた。だが、すぐにその涙を振り払う。

「みんな行くぞ！　すぐに負傷者を診てもらうんだ！」

「は、はい！」

「行くぞ！　あともう少しだ！」

そうしてジュリオたちは少し離れたところに見える帝国船へ急いだのだった。

■■■

レオを演じるアルは拡声できる魔導具の受話器を置き、ふぅと息を吐いた。

「これで作業が楽になるといいんだけどな」

「難しいかと。ここまで助けた生存者たちもほとんど自力では上がってこられませんでした。長時間漂流していたわけですから、致し方ないでしょう」

「わかってるさ……。船長！　最低限の監視だけを残して、全員を救助活動に当てさせてほしい！」

「またそんなことを……⁉　海竜が来たらどうするんですか⁉」

「発見したらその時点で終わりなんだ。監視よりも素早く救助活動を終えたほうがいい」

「ほかのモンスターはどうするんですか⁉」

「モンスターは近くにはいない。海竜が通ったあとにすぐに近づくモンスターはいないからね」

そう言うとアルは救助活動を手伝いに向かう。

レオならそうするからだ。アルからすれば、後ろから状況を見て指示を出したい気分だったが、今はレオだから仕方ないと自分に言い聞かせて作業に加わった。

今は四、五人で固まっていた者たちを引き上げたところ。全員、寒さに震えており、そんな生存者にアルは用意してあった毛布をかける。

「よく頑張った。もう大丈夫だ」

「ありがとう……ありがとうございます……」

泣きながら感謝する乗組員を見れば、どれほど恐ろしく辛《つら》い経験だったのか察しはついた。そんな中、アルに新たな情報が入ってきた。

「左から多数の生存者！　五十人はいます！」

「五十だと!?　そんなに乗るスペースはないぞ!?」

すでに十数人を救助しており、さらに五十人はこの船では収容しきれなかった。なにせ通常の乗組員ですら百人に満たないのだ。船のスペースという点で無理があった。

だからアルは決断を強いられた。なにを犠牲にするべきかを、だ。

「どうなさいますか？　予想以上に生存者が多いです」

「まぁだいたい想像はしていたさ……向こうは三隻でこっちは一隻。運がいい奴《やつ》が多ければこうなることは目に見えてた」

「それでは対策も考えてあるんですね？」

壮年の騎士が期待したように問う。その問いにアルは苦虫をかみつぶしたような表情を浮かべた。

それはアルにとって最低の決断だったからだ。しかし、そうしなければいけなかった。

「倉庫にある食料以外のすべてを海に投棄する」

「……ロンディネへの手土産もですか？」

「もちろん全部だ」

さすがに壮年の騎士も絶句する。

この船はレオが乗る船であり、乗せている物品もアルが乗っていた船より価値があるものばかりだ。ロンディネへ渡す予定だった最新の武器や金銀財宝。それがあれば一生遊んで暮らせるだけの物をすべて海に投棄するとアルは決断したのだった。

「大丈夫なのですか？　そのようなことをして？」

「すでに大丈夫じゃない。あれだけの数の生存者を抱えたままロンディネには行けない。食料や水が持たないからだ。つまり補給のためにアルバトロには絶対に向かわなきゃ駄目になった。この時点で大幅な遅れだ。しかも海域には海竜が潜んでいる。一体、ロンディネにつくのはいつになるのかわかったもんじゃない。それでも助けると決めたんだ。もはや俺が守るべきものはレオの評判だけだ。だから俺は何を捨てても生存者を助ける。これは絶対だ。宝を惜しむな、命を惜しめ。今生きている者は一人たりとも死なせはしない。わかったな？」

「りょ、了解いたしました……」

アルの日に覚悟を見た壮年の騎士は一瞬たじろぐ。

思わず気圧《けお》されてしまったのだ。そのことに驚きながらも壮年の騎士はあの日のことを思い出す。エルナはアルのために腕輪を外したアルの姿を。

エルナはアルのために騎士狩猟祭に臨んでいた。そんなエルナにはアルを失格にするというのは許容できない行為だった。だから先んじてアルは自分から失格となった。自由に動いてもらうために。立派な行動だった。

世間一般で出涸《でが》らし皇子と呼ばれる者とはとても思えない行動だった。

そして今も。レオのフリを完璧以上にこなしている。指示も的確だ。

「やはりあなたは能ある鷹《たか》なのですね……」

「何か言ったか？」

「いえ。物資の投棄は近衛《このえ》騎士にお任せを」

「ああ、頼む。全員、救助続行だ！　とにかく救える者は救うんだ！　責任は僕が持つ！」

指示を出しながらアルは近づいてくる一団を見た。小舟の上には負傷者が乗っており、そこにはエヴァの姿も見えた。そしてその近くにはジュリオの姿も。

「公女と公子は無事か……。これで公王への交渉材料が増えたな」

そんなことを思いつつ、アルは近づいてきたジュリオたちに向かって縄の梯子《はしご》を投げる。

しかし、ジュリオはそれを摑《つか》もうとしない。

「ジュリオ公子！　早く上がるんだ！」

「負傷者を先にお願いします！」

そう言ってジュリオは小舟に乗る負傷者を指さす。自力では上がれない負傷者を救助するとなれば、時間がかかる。それだけジュリオたちも後回しになるわけだが、それでもジュリオを含めたほかの者は負傷者を優先することを望んだ。

「わかった！　少し待っていてくれ！」

負傷者の救助は急ピッチで進められた。

小舟に乗組員が降りていき、負傷者を担いで船まで連れていく。

その間にもほかの場所からどんどん生存者は救助された。そしてエヴァをはじめとする負傷者の収容が終わり、アルは空いていたロープをジュリオに投げる。

ジュリオはそれを摑んだが、摑んだ瞬間に安堵《あんど》してしまったのか体から力が抜けていった。気力が尽きてしまったのだ。

「ジュリオ公子⁉」

意識を失いゆっくりと沈んでいくジュリオを見て、アルは咄嗟《とっさ》に動いた。かつてフィーネを助けたときのように。打算ではなく本能が体を動かしたのだ。

海竜がいるかもしれない海にアルは飛び込み、沈むジュリオをなんとか引き上げる。

それに慌てたのは帝国の者たちだった。

「皇子⁉」

「皇子が飛び込まれたぞ！」

小舟に移ることはあれ、誰も海に飛び込む者はいなかった。モンスターはいない、海竜はいないと言われても怖いものは怖いのだ。

そんな中、最も守られるべき皇子が飛び込んだ。それを見て帝国の乗組員たちも覚悟を決めて、海に飛び込んで救助活動を始めたのだった。

「縄をくれ!!」

「どうぞ!!」

縄を投げ込んだのは壮年の騎士だった。

意識がなくなったジュリオの体に縄を巻き付け、そのまま引っ張り上げてもらう。

そしてアルも遅れて縄のはしごをよじ登り始めた。すると差し出される手があった。

それを掴むと、そこには呆《あき》れた様子の壮年の騎士がいた。

「ありがとう」

「いえ、ずぶ濡《ぬ》れのあなたを引き上げるのは慣れていますから」

「？　どういう意味だ？」

「覚えておられないのも無理はありません。あなたはあのとき気絶していましたから」

「一体、何の話をしてるんだ？」

「あなたが勇爵家の風呂で溺死しかけたとき、あなたを引っ張り上げたのは私です。元々、私は勇爵家に仕えていた騎士ですから」

「……マジか？」

「ええ、隊長が近衛騎士になると同時に私も近衛騎士になりましたが、まさか近衛騎士になってもずぶ濡れのあなたと関わることになるとは思いもよりませんでした」

「俺が何かしたみたいな言い方はやめてくれ。一度目は沈められ、二度目は人助けだ。そこまで迷惑はかけていないと思うぞ？」

「確かにその通りですね」

苦笑する壮年の騎士を見て、アルはため息を吐《つ》く。

素直にかつての恩に礼を言う気になれないのは、勇爵家の関係者だと知ってしまったからだ。しばし、考えたあとアルはあることに気づく。

「そういえば名前を聞いてなかった。名は？」

「第三騎士隊の副隊長を務めます、マルク・タイバーと申します。以後お見知りおきを、殿下」

「そうか……できれば短い付き合いで終わることを願っているよ。マルク」

「そうですね。そうなればよいのですが」

どちらも希望的観測を口にする。この状況がすぐに終わることはありえないからだ。

その後、アルは一人の生存者も見逃さず、たびたび船を停止させて救助活動を行った。

そして合計で八十名以上の生存者を救助したあと、そのまま船をアルバトロ最大の港街である公都へと向かわせたのだった。

5

アルがレオを演じている頃。レオはレオで必死にアルを演じていた。

「アルノルト皇子。船長がレオナルト皇子の船を捜索しなくてよいのかと訊《たず》ねていますが？」

「またその話か。どうせレオのことだ、どうにかする。進路はこのままだ。あと、気分が悪いんだ。余計なことを聞いてくるな。面倒だ」

「は、はい……かしこまりました」

部屋を訪ねてきた騎士をそう言って追い出すと、レオは深く深くため息を吐く。

そんなレオに駄目だしをする人物がいた。

「五十点ね。アルなら船長に任せるって言うはずよ」

「難しいなぁ……」

レオは呟《つぶや》きながらエルナの方を見る。嵐に完全に巻き込まれ、引き込まれたアルのほうとは違い、こちらの船はなんとか引きずり込まれる前に脱出できた。

それでもだいぶ揺れたせいで、エルナはずっとパニックだった。落ち着くまでレオがアルと入れ替わっていることに気づかなかったほどだ。

しかし、気づいたあとはよきアドバイザーだった。まだアルが張った結界があり、あまり揺れを感じずに済んでいるというのも大きかった。

「とにかくバレずに乗り切るわよ。こんなの露見したら大問題だわ」

「そうだよね……僕がしっかりしてれば……兄さんは大丈夫かなぁ？」

「アルは平気よ。マルクも一緒だし、こういう場面じゃ機転が利くもの。問題なのはあなたよ」

「そうだよね……兄さんの真似《まね》とか無理だよ……」

「幸い、アルのことを知ってる人は少ないわ。アルらしくないことをしなければ平気よ」

「兄さんらしくないことってなに？　あとエルナ。いくらスパッツ穿《は》いてるからって、僕の前でそんな恰好《かっこう》をするのはいかがなものかと思うよ」

そう言ってアルはベッドに足を乗せているエルナを注意する。

正面に座るアルの角度からはエルナのスカートの中が見えてしまっていた。もちろんスパッツで下着は隠れているためエルナは大して気にしていなかったが。

「アルらしくないところってそういうところね。アルなら私にそんなこと言わないわ」

「でも無防備すぎるよ。やめたほうがいい」

「はいはい。気をつけます。でも、アルなら本当にそんなこと言わないわ。私相手だと思って気を抜いてるとバレるわよ？」

「そう言われても……兄さんならなんて言うの？」

「そうね……スパッツ穿き忘れてるぞ、とか。今日は白か、とか。とりあえず私に反応させて笑うわね」

「言えないよ、そんなこと……」

実際に自分が言ったところを想像したのだろう。レオは気恥ずかしそうに視線を逸《そ》らす。

これは由々《ゆゆ》しき問題だとエルナは思った。

遊び慣れているアルとそうではないレオ。決定的に差が出るのは女性との距離感や対応だ。アルは相手に合わせて調節できるが、レオは常に一定距離を保って礼節を重んじる。

アルのようにふるまうとなるとそこがネックとなってくる。

「アルがレオになるのは簡単でも、レオがアルになるのは難しいわね……同じ皇子なのになぜ育ちが違うと感じるのかしら……」

「兄さんは自由人だし、基本的にいつも城の外で遊んでたからね。一時期はずっと城の外にいたよね。毎日なぜか泣いて帰ってきてた」

「あ、あれはアルがやられっぱなしになってるからなんとかしようと！」

「わかってるよ。エルナは昔から兄さんのためを思って行動してくれてたね」

「……向こうは迷惑だったみたいだけど」

エルナははぁとため息を吐く。最近、自分が空回っているような気がしてならないのだ。久々に再会したアルの評判を上げようと、騎士狩猟祭に臨んだのに結果は失格。巷《ちまた》ではエルナを擁しながら不注意で失格になったと言われており、完全に逆効果となった。

そして今回も少しは力になれると思って同行したのに、結局は何もできていない。大事な場面で部屋の中にいるという失態を演じている。もはや足を引っ張っていると言われても否定はできない。レオを皇帝にしようとアルは頑張っている。それは良いことだとエルナは思っている。だが、エルナはアルもレオ同様に評価されてほしいと願っていた。

それがアルの考えと乖離《かいり》しており、ズレを生んで空回りを発生させている。そんなことはエルナもわかっていた。それでもアルが不当な評価をされるのがエルナは嫌なのだ。

だが、それは自分のわがままなのではないかと最近は思い始めていた。

アルは自分の評判に頓着しない。むしろ評判を意図的に下げて、レオを上げようと思っている節すらある。そんなアルにとってエルナの行動は邪魔でしかない。

それゆえの発言だったが、レオはクスリと笑う。

「まぁ迷惑だとは思ってるだろうね」

「うっ……」

「けど、邪魔だとは思ってないと思うよ。エルナが来てから兄さんは明るいし、余裕があるように思う。たぶん内心は頼りにしてるんだと思うよ」

「そう……？」

「僕が保証するよ」

「でも……」

「でも？」

「……私がいたのに冒険者雇ったじゃない」

少し言おうか迷ったが、この際だから言っておこうと思い、不満そうに唇を尖《とが》らせながらエルナは呟く。すぐにリンフィアのことを言っているとわかり、レオは笑う。

「彼女は自分の村を助けてほしいから僕らに協力してるんだ。向こうからの売り込みだから兄さんが雇ったわけじゃないよ」

「そんなのはわかってるわ……けど、一言フォローがあってもいいじゃない。私、頑張ろうって思ってたのに」

勇爵家の者としてエルナは政争には直接関われない。

そのことをエルナは歯がゆく思っていた。そんな中で、フィーネを護衛するというのはエルナにとってレオとアルを手伝える数少ないチャンスだった。フィーネが狙われたならば皇帝にも言い訳できるうえに、その派生で相手に打撃を与えてもどうにか誤魔化《ごまか》せる。

そう思っていたのに、結局狙われたのはアルで、そのアルは冒険者によって救われた。

そしてその冒険者は本来、エルナが担うはずだったフィーネの護衛役に収まってしまった。

正直、エルナは面白くはなかった。エルナが任務で別のところに行く可能性を考慮していたとしても、それでも面白くなかったのだ。

「拗《す》ねてるの？」

「拗ねてなんかないわよ！　怒ってるの！」

「そっか。でもさ、兄さんはエルナならついてきてくれるって思ってたんじゃない？　そう考えるとリンフィアを雇ったのも理解できない？　フィーネさんが危なくなっちゃうからさ。まぁ万が一に備えてセバスまで残してきたけどさ」

「どうしてレオはそうやって良い方に取れるのよ……アルの考えなんてわかってるわ。私みたいに直情的で立場的に使いづらい護衛より、頭がよくて自由の利く冒険者の護衛のほうがいいと思ったのよ。褒めてたもの。頭がいいって」

エルナだって頭がいいじゃないか、と言おうとしてレオは口をつぐむ。

たしかに知識を覚えるという点でエルナは非常に優秀だった。子供の頃から飛びぬけていたと言ってもいい。ただ、今、エルナが言っている頭のいいはそういう意味ではない。

騙《だま》し合いや読み合い、政争に必要な頭の良さなのだ。そしてそれが欠けていることをエルナはわかっている。性分的に向いていないというのと、そもそも学ぶ気もないからだ。

勇爵家の者がそれを学んでしまえば、皇族や有力貴族の特権が脅かされる。あくまで勇爵家は剣であるべき。それが勇爵家の基本スタンスだ。

だから帝都の暗闘で勇爵家の力が生きることはあまりない。内に向かうより、外に向かうほうが勇爵家の力の使い方は正しいからだ。

「エルナにはエルナの良さがある。エルナにしかできないことがあって、それで兄さんを助ければいいと思うけど？　それじゃ納得いかない？」

「理解はしてるわ。でも納得はできないわ……。私がフィーネを守るはずだったのに……」

「負けず嫌いだなぁ、相変わらず。誰かと張り合って引き下がったためしはないもんね。けど、たぶんリンフィアはエルナと張り合う気はないし、二人の役割は被《かぶ》らないよ。僕らは劣勢。味方も少ない。そのうえ狙われる人間が多い。僕は自衛くらいはできるけど、フィーネさんと兄さんはできない。護衛をできる人間を複数確保しておかなくちゃいけない。そういう判断だと思うし、エルナの手が空いているなら兄さんはエルナを頼るよ」

「そうかしら？　アルなら私を邪魔者扱いしそうだけど？」

「しないよ。頑固だなぁ。とりあえず僕は今、エルナだけが頼りなんだ。拗ねてないでアドバイスをちょうだい。ロンディネで公王に会ったらどうしようか？」

「まったく、レオは……そうね。最低限の礼儀はアルも弁《わきま》えているし、普通に挨拶していいわ。けど余計なことは言わないで。褒めちゃダメ。本当に最低限の挨拶だけよ？」

「うん、わかった」

こうして二人が乗る船はロンディネへと向かう。

アルがレオとして災難に巻き込まれているとも知らずに。

6

「殿下。容態が不安定な者が多すぎます。ここではできることが……」

初老の船医がそう報告してきた。どうにか公都の目前まで来たが、長く漂流していた生存者の中には容態がまずい者が多かった。そもそも漂流前に怪我《けが》をしている者もいたし、それに加えての漂流だったのがまずかった。俺も治癒魔法は使えるが、治せるのは怪我だけだ。病気や内面の異常は専門外だ。

「わかってます。どうにか持たせてください」

「もちろん全力を尽くしますが……保証はしかねます」

「わかりました……苦労をかけます」

「いえ、殿下ほどではありません」

船医はそう言って部屋を出ていく。それを見て、俺は盛大な舌打ちをした。

そんな俺に対してマルクが苦笑する。

「これぱかりは仕方ありません。船医に任せるほかないでしょう」

「仕方ないで済ますな。俺は言ったはずだ。今、生きている者は絶対に死なせないと」

「しかし……我々にも限界があります。何もかも救うことは不可能です」

「諦めたら不可能だが、諦めなきゃどうにかなる。世の中、大抵のことはどうにかなるように作られてるんだ。全人類の人口を考えればたかが数人の命。救えるように作られてないなら、この世界は理不尽だ。なにせ俺たちはもう対価を払った」

そう言って俺は捨ててきた財宝を思い出す。

あー、もったいない。あれがあればいろいろできただろうに。

まったくもってもったいない。マルクには惜しむなと言ったが、惜しくないわけがない。

あれに取って代わる価値が生存者たちにあるだろうか？　いやない。これは断言できる。

彼らを助けたところで帝国に利益はなく、帝国に利益がないなら評価されないからレオにとっても価値はない。それでも助けたんだ。損を承知で助けた。彼らの命を俺は多くの財宝で買ったんだ。なら彼らの命は俺のものだ。勝手に取られてたまるか。

「そろそろだな。甲板に上がるぞ」

「ですね。そろそろ防衛ラインに引っかかる頃です」

そうマルクが言った瞬間、声が俺たちに届いてきた。

拡声したとき特有のノイズが若干混じっている声だ。

「接近する帝国船へ告げる。目的を明かされよ。我が国は貴国から何の連絡も受けていない。繰り返す。目的を明かされよ。我が国は貴国の船が来ることを知らされていない」

公都を警備していた軍船だ。

情報のない帝国船を見つけて、こちらに情報を求めてきたんだろう。

いきなり発砲しないあたりはさすがはアルバトロ公国の海軍だ。教育が行き届いていて助かる。甲板に上がった俺は魔導具の受話器を取る。

「僕の名は帝国第八皇子レオナルト・レークス・アードラー。ロンディネ公国に向かう途中、海難事故に遭遇した貴国の船を見つけ、生存者を約八十名救助した。その中には貴国の公女殿下と公子殿下も含まれている。入港許可をいただきたい」

魔導砲がギリギリ届くかどうかの距離にいた軍船が目に見えて慌ただしくなる。

出航した三隻の軍船が帰還していないことは彼らも承知だろうし、そこにエヴァとジュリオが乗っていたことも知っているからだ。

その間も俺たちは港へ向かって進行していく。少しでも近づいておけば、それだけ早く生存者は陸に上がって専門的な治療を受けられるからだ。

「貴船の目的は了解した。安全のため、貴船に本当に生存者がいるのか確認させていただきたい。ですので停船を」

「了解した。それと容態が不安定な生存者が多くいる。彼らはすぐに治療を必要としている。彼らだけでも貴船に移して、すぐに港へ運んでいただきたい」

「了解したいところですが、決まりにより許可がなければ貴船に乗っている者を港に入れることはできないのです。公王陛下の判断をお待ちいただきたい」

　何を悠長な！

　思わず近づいてくる船を睨《にら》んでしまう。今は間諜《かんちょう》のことを考えている場合じゃないだろうが。こっちにはジュリオやエヴァもいる。彼らと一緒にいるのが船の乗組員だったことの証明だろうが！

「公女と公子は？」

「まだお目覚めにはなっていません……」

「ちっ！」

　ここで二人のどちらかが意識を保っているなら、独断で港へ入ることを許可してもらうという手もあったが意識がないのでは手の打ちようがない。

　このまま許可待ちでここにいるのか？　一体、城から港までどれほどかかる？　公王の決定はどれくらいで下る？　それから移送して間に合うのか？

　時間との勝負だというのに、面倒な手続きが俺たちの前に立ちはだかる。

「もはや向こうの問題です。我々がどうこうする問題ではありません。ここまで運んできた時点で、彼らへの責任は向こうに移っているのです」

「そんなのは今に始まったことじゃない……！　初めから向こうの責任だ！　そこに首を突っ込んだ以上、最後まで面倒は見る！」

俺はマルクにそう言うと受話器をきつく握りしめる。ここで無理やり進めば、アルバトロ公国の軍船は俺たちを攻撃せざるをえない。やはり向こうに動いてもらうしかないか。

「どうか聞いてほしい。死にかけている者がいる。地獄のような漂流をなんとか生き延びた者たちだ。その命を救えるのはあなた方しかいない。どうか入港許可を待たず、彼らを運んでほしい」

「……我が国の者のためにそこまで言っていただけること、感謝に堪えません。しかし決まりなのです。許可なき船に乗っていた者を港に入れる場合は、たとえ公族の方でも公王陛下の判断を仰がねばなりません」

「その船の船長は……？」

「私です。殿下」

「……船長。僕は多くのモノを犠牲にして彼らを助けた。危険も冒した。今も冒している。理由は一つ。彼らを死なせたくなかったからだ。海に生きるあなたならば漂流がどれほど恐ろしいことかわかるはずだ。どうか英断を」

俺の言葉を聞き、船長の返答が遅れる。

向こうの船は着々と進んでいるが、おそらく悩んでいるんだろう。そして。

「……殿下。出航した三隻には二人の息子が乗っておりました。今は生きていることを強く願っております。しかし……私は軍人なのです。たとえ何があろうと決まりには逆らえません。お許しを」

「わからず屋が……！」

「殿下。ここまでです。もう我々には」

半ばキレ気味の俺は受話器を投げつけた。

マルクが俺を諭そうとしたとき、船医が悲鳴のような声をあげる。

「殿下！　容態が！」

急変したのだ。そう悟った瞬間、俺はすぐに決断した。

「船長！　港へ入港する！」

「はいぃ!?　何言ってるんですか!?　入港許可は出てませんよ!?」

「わかってる。けど、入港して専門的な治療を受けさせないとまずい」

「ま、待ってください！　そんなことしても公国は感謝しませんよ!?　向こうの決まりなんです！　ここは公国。公国のルールがあります！」

「従っていたら人が死んでしまう」

「公女でも公子でもありません！　政治的価値のない乗組員です！　そのために公国の警告を無視して、無許可で入港すると⁉　撃沈されても文句は言えませんよ⁉」

「公子と公女がいる以上、撃沈はされない。今は目の前の命を助けることに全力を注ぐ。命令は変えない。入港だ」

俺の決断に誰もが押し黙る。ただ一人、マルクだけが顔をよせて小声で俺を諭す。

「やりすぎです……！　レオナルト皇子はここまでしません……！　いえ、レオナルト皇子にはそのような強引な手段は取れません……！」

「ああ、そうだろうな。だからどうした……？」

「どうしたって……」

「いい機会だ。レオの代わりに多くの者に印象付けてやる。レオナルト・レークス・アードラーは決断したら止まらないと。ただの甘ちゃんではないのだと。それがレオ本人にできない決断だったとしても、そういう評判があればレオへの見方が変わる」

「そのようなことをすれば、より難しい決断をレオナルト皇子はいつか迫られます……！」

「平気さ。俺の弟だ。俺にできてあいつにできないことなんて何一つとしてない」

断言し、そして目で威圧する。押し黙ったマルクの横を通り、俺は船長に向かい合う。

船長は複雑そうな表情を浮かべていた。

「おわかりですか……？　殿下。たしかに敵は撃ってこないでしょう。ですが、入港したが最後です。逃げられません」

「わかっているよ」

「あなたが一番まずい立場に置かれます！　ここで入港すれば不法入港で最悪、投獄されますよ!?　ここは海上で食料や水を受け取り、ロンディネに向かうべきです！　数人の命のためにあなたが危険を冒す必要はないでしょう!?」

「僕らにとって数人でも、彼らの家族にとっては大切な一人だ。それに決めたんだ。助けると決めたときに見捨てないと。ここで見捨てたら、この船のすべての乗組員を危険に晒《さら》したことが無意味になる」

「……帝位争いをされているのでしょう？　政治的材料にされれば皇帝の座は遠のきますよ？」

「それはそのとき考えるよ。どうか命令を聞いてほしい、船長。この船はあなたの船だ。すべての乗組員はあなたに命を預けている。そんなあなたから舵《かじ》を奪い、勝手に船を操作する無礼をさせないでほしい」

　船長はしばし考えこむ。しかし、一度フッと笑うとスッキリした笑みを見せた。

「あなたのことを甘ちゃん皇子だと思っていました。ですが……それだけではないようだ。あなたのことが少し好きになってきましたよ。総員！　入港準備！　これより我々は入港する！」

船長の決断に乗組員たちも応じた。

帆を張り、進み始めた俺たちに向かって公国船が呼びかける。

「お待ちください！　殿下！　何をなさっているのです⁉」

「これより我々は入港する。もはや一刻の猶予もないんだ」

「そのようなことを見逃すわけには参りません！　不法入港するというなら私は公女殿下や公子殿下が乗っているとしても貴船を撃沈させます！」

そう言って公国船が並走するような形をとった。向こうの魔導砲が俺たちに向く。同時に港全体にサイレンが鳴った。緊急事態を告げるサイレンだろうな。

港からは続々と軍船が俺たちのほうへ向かってきている。

そんな中、船長が舵を取りながら提案してきた。

「殿下！　私に妙策があります！」

「どんな案だい？」

「白旗をあげます」

それを聞いた瞬間、乗組員たちは一斉にギョッとした表情を浮かべた。しかし船長は楽しそうだ。俺はその提案に苦笑する。まさか海軍側から提案してくるとはな。

「我が帝国海軍が一度も白旗をあげたことがないのは承知の上で言ってるかな？」

「無論です。記念すべき第一号船は我々です」

「たしかに白旗をあげた船を撃つことはないだろうけど、必要かい？」

「あれだけ船がいれば中にはとんでもなく頭の固い船長もいるでしょう。用心のためと、向こうにも言い訳を用意してあげましょう。同じ船長として彼らの辛《つら》さもわかりますから」

「そうか……では白旗をあげてくれ。僕は僕のできることをする」

すると心得たとばかりに乗組員がスルスルと白旗をあげた。

それに驚いたのは公国船だった。

帝国は大国だ。その帝国が一隻とはいえ公国相手に白旗をあげる。それは大事件なのだ。

そんな彼らに追い打ちをかけるようにして、俺は音量を最大にして港全体に呼びかける。

「港にいるすべての者に告げる。僕は帝国第八皇子レオナルト・レークス・アードラー。現在、我が船は漂流していた貴国の船の生存者を乗せている。生存者の一部の容態が悪化したため、これより港へ不法入港する形をとるが、我が船に攻撃の意思はない。もしも港周辺に医師がいれば協力してほしい。ほかの者もできるなら温かい飲み物や食べ物を用意してほしい。彼らは地獄を生き延びた。どうか手を差し伸べてあげてほしい。そして――周辺にいるすべての公国海軍の船長たち。今、危機にあるあなた方の同胞の生命はあなた方の判断にゆだねられている。精鋭たる公国海軍の船長たちの賢明な判断に期待する」

俺の呼びかけを聞き、港が騒がしくなる。同時に行く手を阻もうとしていた船が動きを止める。数隻の公国船とゆっくりとすれ違いながら、俺たちは公都の港へと入港した。

「負傷者たちの搬送を最優先にしろ！　とにかく急げ！」

指示を出すと乗組員たちが負傷者を運び出す。そんな彼らを手伝おうと港には多くの人が集まっていた。当たり前だ。ここには彼らの家族がいるのだから。

「急げ！　道具の揃《そろ》った場所が必要だ！」

「私の医院には揃っている！　こっちへ！」

「温かい飲み物よ！　食べ物もあるわ！」

生存者たちを降ろすと彼らは温かい食事にありつけた。俺たちも彼らに食べ物は与えたが、陸地で食べる温かい物は彼らの心すら温めたのだろう。

誰もが泣きながら食べていた。

「これで一段落ではありますが……捕虜ですね」

「そうだなぁ。白旗あげたしな」

遠くから鳴り響く馬の足音を聞きながら、俺は空を見上げる。

全権大使でありながら捕虜というのは前代未聞だ。しかし、醜聞にするか美談にするかはこれからの行動次第だ。

「行くぞ。海竜について公王と話す必要がある。向こうもそれを望んでいるだろうしな」

そう言って俺はマルクを引き連れてアルバトロ公国の大地を踏んだのだった。

第三章　南部騒乱

Episode 3

1

アルとレオが南部に向かった頃。帝都でも動きがあった。

「このっ！　どうなっているのよ！　このっ！　このっ！」

「ぐっ！　あああ!!　ぎゃぁぁぁぁぁ!!　お許しを！　お、お……おゆるし、を……」

自分の配下である暗殺者の一人を憂さ晴らしもかねて鞭《むち》で叩《たた》き続けていたザンドラは、暗殺者が気絶したのを見て、はぁはぁと荒い息を吐きながら縄を投げ捨てる。

「不甲斐《ふがい》ないわね！　まったくもう！　イライラするわ！　どうなってるのよ！」

自分の指の爪を嚙《か》みながらザンドラは部屋を行ったり来たりする。

その様子を見ながら、アルを拉致しようとした中年の暗殺者、ギュンターが口を開く。

「こちらの手がことごとく読まれているようです」

「そんなことわかっているわよ！　なぜ読まれているのか考えなさい！　向こうにはレオナルトやアルノルトがいないのよ!?　旗印がいない勢力なのよ!?　あの世間知らずな蒼鷗《ブラウ・》姫《メーヴェ》が私を翻弄しているとでも!?」

「レオナルトの勢力にも切れ者がいるようです。うまく我々の動きを読み、我々が動いたと同時にゴードンたちに情報を流しているのでしょう。レオナルトの側近のメイドにそこまではできないでしょうから、新たな人材が出てきたとみるべきかと」

「ちっ！　むしゃくしゃするわ！　新興勢力の分際でこの私を苛立《いらだ》たせるなんて！　絶対に許さないわ！」

そうは言いつつザンドラには打つ手がなかった。ザンドラがレオナルトの勢力に攻勢をかけたと同時に、ゴードンもザンドラの勢力に攻勢をかけた。

レオナルトの支持者を取り込もうとしている間に、自分の支持者が失われていくため、ザンドラは守勢に回らざるをえなかったのだ。

そんな中でもときおりレオナルトの勢力に攻勢をかけるも、狙ったかのようなタイミングでゴードンの勢力が現れてザンドラの支持者を奪っていく。

このままではゴードンの一人勝ちになってしまう。それだけは避けたかった。

「しばらくはレオナルトの勢力に手を出すのはやめましょう。工務大臣を奪われた恨みはまたあとで晴らせばよいかと」

「くっ……わかったわ。その代わり適当なの連れてきてちょうだい！　この苛立ちは一人じゃ収まらないわ！」

「かしこまりました」

過度な残虐性を持つザンドラは感情が高ぶると、その残虐性、攻撃性を発散させなければ気が済まなくなるのだ。任務でヘマをした暗殺者は大抵、ザンドラの相手をさせられる。

今日は誰が適任かと思いながら、ギュンターは明日は我が身と気を引き締めたのだった。

■■■

「お見事ですな。よく僅かな情報で相手の狙いがわかるものです」

セバスはそうリンフィアを称賛した。

レオの勢力にとってリンフィアの存在はとても大きなものだった。レオの側近であるマリーは自勢力を維持するだけで精一杯であり、ザンドラからの攻撃に対処するのはフィーネの役目だった。

マリーは所詮はメイド。直接動かせる人間には限りがあった。その点、フィーネは多くの人間を動かすことができる。ザンドラへの対応はマリーよりもフィーネのほうが適任だったのだ。

しかし適任であっても向いているかはまた別問題だった。だが、その問題はリンフィアが解決して見せた。

「モンスターの攻撃を読むのと同じです。できることを限られた状況では、大抵は最善手を打ちます。なのでそこを警戒しつつ、違う陣営にも情報を流しました。おそらく警戒心を強めた第二皇女はこれ以上、攻勢には出られないかと」

「すごいです！　リンフィアさん！」

素直な称賛を浴びせてくるフィーネにリンフィアは少し戸惑った。

というのも、アルはフィーネの護衛としてリンフィアをつけたが、フィーネにはリンフィアの助言は聞くようにと言い残していた。そのため、フィーネはリンフィアの意見はすべて聞いた。

もちろんすべてを投げたわけではなく、こうしたいという方針は示したものの、それに至る方法はすべてリンフィアが提示し、それが採用された。

扱いがいいことは悪いことではないが、リンフィアにはそれが少し不思議だった。

「どうかしましたか？」

「いえ……ただ、どうしてそこまで私を信用するのか気になったので」

「どうしてって、アル様があなたを信用しているからです。アル様は私の重要性を理解していますし、信用できない人を私の傍《そば》には置きませんから」

ニッコリと笑うフィーネの笑みに邪気はない。そこまで笑える理由は一つ。自分の考えに疑問を持っていないからだ。

フィーネは自分の立場をよく理解していた。公爵家の娘、蒼鷗姫《ブラウ・メーヴェ》という称号。それが自分のすべてであることを。個人としての能力を買われて、この場にいるわけではない。〝いる〟ということがアルやレオにとって大切なのであり、それ以外は大きく期待されていない。だからこそ、自分の傍に信用できない者は置かない。そうフィーネは確信していた。その考えからフィーネはリンフィアを全面的に信用していたのだ。

「その……嫌ではありませんか？　新参者がしゃしゃり出るのは」

正直、リンフィアはやっかみを覚悟していた。フィーネは公爵の娘であるのに対して、リンフィアは流民の子。身分違いも良いところだ。そんな人間の言うことなど簡単に聞くはずがないと思っていた。しかし、実際そんなことはなかった。

アルへの信頼があるとはいえ、ここまで素直に人の言うことを聞けるフィーネがリンフィアには不思議で仕方なかった。

少なくともリンフィアの中にある貴族のイメージからはかけ離れていた。

「？　私はアル様やレオ様のお役に立てるならなんでも構いません。私がお役に立っても、リンフィアさんがお役に立っても一緒ではないですか？」

「……なるほど。あなたは自分に重きを置いていないんですね」

「御明察ですな。フィーネ様はそういう方です。他者が一番、自分が二番なのです」

セバスの言葉にリンフィアは納得したように頷《うなず》く。そういう性格の貴族もいるのだと思いつつ、そんな人がなぜ政争に身を置いているのか。それが新たな疑問となった。

「あなたはどうして帝位争いに加わっているんですか？　失礼ですが、向いているとは思いません」

「あうう……そうですよね……自分でもそう思います……」

面と向かって言われたフィーネはショックを受けたように項垂《うなだ》れる。

あまりにも正直にショックを受けるので、リンフィアのほうが慌ててしまった。

「え、あ……そんなにショックでしたか？」

「ショックです……いつまでもアル様たちのお役に立てませんから……私も少しはお役に立ちたいと思っているんですけど……」

結果的にアルにとって良い結果が生まれるならば誰が活躍しようと関係ない。

それはフィーネの基本的な考えだが、だからといって自分が無能でいいと思っているわけでもなかった。

立場や称号以外で役に立てるなら役に立ちたい。いつだってフィーネはそう思っていた。

ただその能力が自分にないこともフィーネは理解しているため、目立った動きをしないだけなのだ。

「フィーネ様がいてくれることはお二人にとっては幸運以外の何物でもないのです。あまり気に病む必要はないかと」

「そうだといいんですが……」

目を伏せるフィーネの姿は女性のリンフィアから見ても美しかった。単純に顔立ちが綺《き》麗《れい》だからという問題ではない。本当に誰かの役に立ちたいと願っているのが伝わってきた。そのために悩んでいるのだと。

旅立つとき、リンフィアは一言アルに言われていた。フィーネを頼むと。

それにどれほどの意味があるかはわからないが、リンフィアは少しだけ踏み込んだ解釈をすることにした。フィーネに手柄を立てさせてほしい。アルはそう言ったように思えたし、そう解釈したのだ。

「では、役に立つとしましょう。フィーネ様」

「え？　私にできることがありますか？」

「あなたにしかできないことがあります。あなたは帝都では凄《すご》い人気です。その人気を欲している方たちがいます」

「どなたですか？」

「商人たちです。皇子たちが帰ってくる前に太いパイプを繫《つな》いでおくのは、この勢力にはプラスになるかと思います」

淡々と告げながらリンフィアはセバスを見る。この決定に不満があるならば、セバスが何か言うはずだからだ。しかし、セバスは何も言わない。

そうであるならばとリンフィアは話を進める。

「今、帝都で活動している商会ももちろん、あなたの人気にあやかりたいと思っているでしょうが、彼らにはおそらくほかの帝位候補者も声をかけています。なので私は別の商会を狙うべきだと思います。それは帝都に本格的に進出したいと思っている商会です」

「そんな商会があるのですか？」

「あります。おそらくフィーネ様も聞いたことがあるかと。〝亜人商会〟という名の大商会を」

「なるほど。あなたへの評価をもう一つ上げなければいけませんな。レオナルト様やアルノルト様も亜人商会には目をつけていました。しかし、いまだに接触はしていない。理由はおわかりですね？」

「ええ、商会を率いるのが吸血鬼の女性だからです。帝国の民は最近の事件で吸血鬼への印象がよくありません。先送りにしたのはわかりますが、だからこそ私たちは確実に彼らとのパイプを繋げられます。よい機会だと思いますが？」

リンフィアの提案にフィーネは何度も頷く。ただ頷いているだけではない。自分なりに精一杯考えている。その行動が誰を敵に回し、誰を味方にするのか。帝都でどんな影響をもたらすのか。すべて考えたあと、フィーネは一つの結論を出した。

「その吸血鬼の女性と会ってみましょう。人柄を見てからいろいろと判断をしたいと思います」

「わかりました。人を送れば会ってくれるかと思います。手配をお願いしてもかまいませんか？」

「お安い御用ですな。まぁ二、三日もすれば返事が来るかと」

「なるほど……アル様。私頑張ります！」

そう言ってフィーネはアルがいるだろう南へそう声を張る。

そのとき、アルがどんな目に遭っているかは当然、フィーネが知る由もなかった。

2

俺たちは城へ〝招かれた〟。丁寧な態度を見れば、公王が俺たちに対して敵対する気がないことはよくわかる。ま、俺たちに何かすれば詰みとなるのはこの国のほうだからな。海竜に加えて帝国と問題を起こしたら間違いなく詰む。

それならば俺たちを丁重に迎え、海竜に対して協力してくれるように説得するほうがいい。大きさにもよるが大抵、竜はＳ級扱いだ。冒険者ギルドが対応するならば、Ｓ級やＡ

AA級冒険者がパーティーを組むか、SS級冒険者に依頼が回る。

軍で対応するならば相当な準備と兵士が必要になるだろう。

少なくともアルバトロ公国だけで討伐するのはほぼ不可能だ。

「こちらです」

「ありがとう」

道案内をしてくれた騎士に礼を言いつつ、俺は玉座の間に入る。

すると公王は玉座にはいなかった。赤い絨毯《じゆうたん》の先で膝をつき深く頭を下げていたのだ。

その周りではおそらく重臣だろうと思われる人たちも膝をつき頭を下げていた。

「お初にお目にかかります。レオナルト皇子殿下。アルバトロ公王、ドナート・ディ・アルバトロと申します。此度《こたび》の一件、すべて我が国の浅慮ゆえに起きたこと。巻き込んでしまい申し訳ございませんでした。そして、我が子供たちを含め多くの生存者を助けていただいたこと、深く深く感謝申し上げます。ありがとうございました……」

「レオナルト皇子に感謝申し上げます!!」

公王に続いて重臣たちも口々に感謝の言葉を発した。それは稀《まれ》に見る異常な光景だった。

いくら国の規模に差があれど、相手は王で俺は皇子だ。基本は相手が上で、俺が下。状況にもよるが、あっても対等くらいしかありえない。

同じ位置に降りてきて頭を下げるなんてどうかしている。

さすがに固まってしまった俺はマルクを見るが、マルクはマルクで固まっていた。

どうにか膝をついているが、自分はどうすればいいのか迷っているといった感じだ。完全に自分のことで精一杯だな。

仕方ないと思いつつ、俺は公王の下まで歩いていき、両手を摑《つか》んで立たせる。

四十代中盤ほどの公王は、エヴァやジュリオ同様、色素の薄い茶色の髪と緑の瞳を持ち、顔立ちはジュリオよりだ。優し気ではあるが、細すぎる印象があるためやや不健康そうに見えなくもない。そんな公王に俺は膝をついて喋《しゃべ》りかけた。

「公王陛下。お初にお目にかかります。帝国第八皇子、レオナルト・レークス・アードラーと申します。此度の一件でお騒がせしたこと深くお詫《わ》び申し上げます。また、お礼は不要でございます。目の前に漂流者がいたので助けただけです。我が帝国の船が沈めば、貴国は同じことをしたでしょう。あなた方は海の怖さをよく知っているからです」

「し、しかし！」

「ですが、義理堅い貴国のこと。それだけでは納得はされないでしょう。ですので我が船に食料と水を頂けないでしょうか。あとは少しばかりの財宝があれば文句は言いません。我が船はロンディネに差し入れるはずだった財宝を海に投棄してしまいましたので」

「な、なんと！　そこまでしてくださったのか！　もちろんだ！　言われるまでもない！　我が国がすべて負担しよう！」

「ありがとうございます。そしてもう一つ。貴国の抱える悩みをお話しいただきたい。この問題、長引けばおそらく大陸全土に波及いたします」

「……承知した。もはやあなたも無関係ではないのだ。知っておいてもらわねばなるまい」

俺は公王を玉座に促す。頷いた公王は玉座に登り腰をかけると沈痛な表情で語り始めた。

「お気づきだろうが我が海域には……海竜がいる」

「薄々は感じていました。あまりにも不自然な嵐だったので、我が船の船長も噂《うわさ》に聞く海竜では、と」

「そうか……あの竜の名は〝レヴィアターノ〟。二百年以上も前から眠っていた竜なのだ」

「二百年？　竜の休眠にしてはあまりに長いですね」

「休眠したのではない。眠らせたのだ。古代の魔導具を使ってな。あれを」

公王は侍女に何かを持ってくるように言う。そして侍女は壊れた杖《つえ》を持ってきた。

根本から完全に折れている。造り自体はあまり変わった点はないが、先端には巨大な宝玉がついていた。おそらく魔力を貯《た》めこんでいた宝玉だ。今でも強い魔力を感じる。しかし、それでも半分程度のようで元の大きさを考えればとんでもない魔導具だったんだろう。

「二百年前、この南部は統一国家によって統治されていた。しかし、海竜レヴィアターノが活動期に入って周辺を荒らしまわったため、それと戦うこととなった。結果、どうにかこの魔導具を使って眠りにつかせたものの、王家は衰退しそれから戦国時代となってしまったのだ。我がアルバトロ公国は元々、この杖の守護を任された家が始祖だ。レヴィアターノの伝承もロンディネよりは正確に伝えられている」

「なるほど。それでその杖が壊れたので、急いで調査をしたというわけですね？」

「そのとおりだ。巻き込んでしまい誠に申し訳ない。嵐に巻き込まれたということは、あなた方の船が沈没していてもおかしくはない状況だったのだろう……すぐに冒険者ギルドに連絡するべきだった」

「もう済んだことです。それに竜の討伐となれば法外な報酬を支払わねばなりません。しかも大陸全土に情報が回ってしまいます。海洋貿易を中心とする貴国が独自で調査したことを僕は責めることなどできません」

「……ご理解に感謝する」

そこで説明は終わる。

状況は理解した。次は対策だ。どうするべきか。冒険者ギルドに連絡し、対応するにしても即対応というわけにもいかない。竜と戦える者なんて大陸全土でも一握りだからだ。

まぁ俺もその一人ではあるんだが、基本的に帝都を動かないシルバーがいきなりここに現れるのは不自然すぎる。なにか理由が必要になるだろうな。

「公王陛下はどのような対応手段をお考えですか？」

「冒険者ギルドに頼るしかないと思っている。すぐに対応はしてくれないだろうが……」

「それしかないでしょう。我が帝国もお力をお貸ししたいところですが、竜が相手でしかも海となると艦隊を派遣して終わりというわけにもいきません。モンスター退治のプロに任せるべきかと。ただ、一つ提案があります」

「教えてほしい。どのような提案だ？」

「ロンディネ公国と対竜同盟をお結びになるべきです。向こうも事情を知れば争っている場合ではないと察するでしょう」

「それは私も考えたが……ロンディネとは長年争っている。すぐに同盟を締結できるような国交はないのだ」

「ですからご提案と申し上げました。その同盟案を僕が持っていきましょう。帝国の全権大使が間に入ったとなれば向こうも無下にはできないはずです」

俺の提案に公王は少し狼狽《ろうばい》した。あまりに自分たちに都合のいい提案だったからだ。しばし考えたあと、公王は無難な返答をした。

「大事ゆえ重臣と相談してからでもよいだろうか？」

「もちろんでございます。ですが、なるべく急がれたほうがよいでしょう。事情を知らないロンディネですが、今は貴国が混乱しているという漠然とした情報は摑んでいるはず。攻め入ってくるやもしれません」

「たしかに……」

まぁそうは言いつつもそれはないと踏んでいた。向こうにはレオがいる。たとえ俺のフリをしていたとしても、傍《そば》にはエルナがいる。

どうにか誤魔化《ごまか》しつつ、ロンディネの動きを牽制《けんせい》するはずだ。到着しない以上は俺がアルバトロ公国にいると考えるだろうし。とはいえ、時間が空くのはこっちとしても助かる。考える時間もほしいし、あれなら帝都に行くのもありだとすら思っている。ただ、問題は行くだけで二度。行き帰りで四度も転移魔法を使わなきゃ駄目だという点だ。行く瞬間は見極めないといけない。そう思いつつ、俺は一礼して玉座の間から去ったのだった。

3

亜人商会というのはその名のとおり、亜人が経営する商会だ。

構成員はすべて亜人。その特異性から注目を集めがちだが、さまざまな亜人を抱えているためその仕事ぶりはほかの商会を大きく上回る。

荷物を運ぶのは力の強い亜人に。運搬は足の速い亜人に。採取は鼻の利く亜人に。

各々が得意とする分野では人間を大きく上回る亜人だ。それが適材適所に配置されれば人間以上の結果を出すのは当然だった。

そうやって大陸東部から徐々に影響力を伸ばし、そろそろ帝都に支店を構えようというところまで来た大商会。

それが亜人商会だ。そしてそれを率いるのは表に顔を出さない謎の吸血鬼。

そしてその帝都支店にリンフィアとフィーネは向かっていた。二人で向かうのは相手がそう指定してきたからだ。本来ならセバスが向かうべきだが、女性のほうが警戒されにくいということでリンフィアが唯一の護衛として付き添うことになった。

「支店も完成して、さぁここからといったところで東部の騒動が起きたんです。そのため支店は結局開店できず、亜人商会の看板も掛かっていません。リーダーが吸血鬼ですし、皇帝が襲撃されたわけですから、亜人という括《くく》りに対して帝国は敏感になっています。それは賢明な判断だったと思います」

「そうでしょうか？　自分たちが何も悪いことをしていないなら気に病むことはないと思います。その方たちが皇帝陛下を襲撃したわけではありませんし……」

「みんながみんな、フィーネ様のような考えを抱いていれば問題ありませんが、世の中あなたのように立派な人ばかりではありませんから。襲撃した者を個人としては見ず、亜人という広い観点で見て毛嫌いする者も少なくないのです」

美徳なのだろうとリンフィアは思った。フィーネは傍観者ではなく、被害者だ。そうでありながら吸血鬼や亜人に偏見を持っていない。

相手を肩書や種族で見ていない証拠だ。個人として見ているから、関連する何かにまで悪感情が飛び火しないのだ。

しかし、それが特異なことだと知っておくべきだろうとリンフィアは思った。

だから、いまいちわかってなさそうなフィーネに念を押した。

「フィーネ様。人間は違う考えを持つ生き物です。それはわかりますね？」

「ええ、もちろんです」

「ならわかるはずです。あなたの考えが一般論ではない場合もあるのです。私は亜人に対して思い入れはありませんが、もしも恨みがあればさきほどの発言を亜人擁護と捉えるかもしれません。それはあなたに不利益を招き、ひいては勢力に不利益を招きます。皇子方のことを思うならば個人的な考えを表に出すときは見計らうべきでしょう」

「そ、そうですね……たしかにそのとおりです。失言でした……」

シュンと小さくなるフィーネを見て、リンフィアは自分が何か悪いことをしたかのような気分になった。しかしそれでもリンフィアはフィーネを慰めたりはしない。

村を助けると言ったアルから、フィーネを頼むと託された以上、フィーネに対して責任があるとリンフィアは感じていた。

冒険者である以上、報酬分の仕事はしなくてはいけない。最低限、勢力を守り、フィーネに手柄を立てさせる。これくらいをやらなければ報酬分とは言えない。

なにせアルはすでにアベルのパーティーを指名して高額報酬で村の護衛につかせていた。

それはどれほどの功績も霞《かす》んでしまうほどの大金だった。

シルバーとして莫大《ばくだい》な財産を保有しているアルだから出せたもので、一介の皇子ではかなりきつい金額と言えた。だからリンフィアは無理をしてアルが捻出したと考えたのだ。

それがリンフィアの責任感を刺激していた。

「相手は大商会を束ねる代表です。不用意な発言をすれば丸め込まれる可能性が高いかと。気をお引き締めください」

「は、はい！」

フィーネの顔が引き締まったのを見て、リンフィアはコクリと頷《うなず》く。

それと同時に乗っていた馬車が止まった。亜人商会の帝都支店に到着したのだ。

■■■

帝都の一等地にある支店は閑散としていた。人もほとんどいないのだろう。

支店に入ると代表の秘書と思われる金髪のエルフが二人を案内した。

案内の最中は誰も喋らない。

そのままそれなりに大きな支店の奥まで行き、赤い扉の前で秘書は足を止めた。

「こちらで代表がお待ちです。どうぞお入りください」

「はい」

そう言って秘書が扉を開く。二人は部屋の中に入るが、部屋には人が見当たらない。

気づいたときにはもう秘書は下がったあとだった。

「部屋を間違えてしまったのでしょうか？」

「向こうが指定した以上、そんな間違いはしないかと。あえて会談相手を待たせるのはよくある手です。座って待ちましょう」

落ち着いた様子でリンフィアはフィーネをソファーに座らせる。

フィーネは少し迷ったあと、テーブルの上にあった道具を使って紅茶を淹《い》れ始める。

「リンフィアさんもどうですか？」

「今の私は護衛ですから。帰ってからいただきます」

「そうですか……一人で紅茶を飲んでも楽しくないのですが……」

寂しそうにフィーネは淹《た》れた紅茶を飲む。

そしてそこから時間が経った。

「……さすがにそろそろ帰るべきでしょうね」

「まだ代表さんは来ていませんよ？」

「ですがもう二時間も待たされています。向こうに会う気がないと見るべきでしょう」

「会う気がないなら招いたりはしないと思います。何か理由があるはずです。待ちましょう」

「……フィーネ様は無礼だとは感じないのですか？」

平民であるリンフィアですら二時間も待たされたことには多少なりとも怒りを感じていた。それなのにフィーネにはその気配がまったく感じられなかった。

貴族であれば多少なりともプライドがあり、自分が尊重されることに慣れているはず。ましてやフィーネは公爵の娘で蒼鷗姫《ブラウ・メーヴェ》という称号まで持っている。帝国内でフィーネに気を遣わない人間のほうが少ないほどだ。

それなのにフィーネはただ静かに紅茶を飲んでいるだけだった。

「無礼ですか？　会っていただくのはこちらのほうですし、待つのは当然でしょう」

「しかし……」

「今日都合が悪いのであれば、また明日。明日も都合が悪いのであればさらに次の日。時間と誠意で協力をお願いします。私にはそれくらいしかできませんから」

そう言ってフィーネは悲し気に笑う。自分の無力さへの笑みだ。

そんなことはない。そうリンフィアは強く思った。自分を犠牲にして尽くすということは誰にだってできることではない。

それを伝えようとしたとき、部屋の扉が唐突に開かれた。

「驚いたわ。まだ待っていたのね」

そう言って入ってきたのは銀髪の女だった。娼婦《しょうふ》のように髪を盛り、豊満という言葉がよく似合う体を包むのはきわどいドレスで、病的に白い肌が惜しげもなくさらされている。赤紫色の瞳は真っすぐと興味深そうにフィーネを捉えていた。

大人びた雰囲気を持つ女性でありながら、まるで十代のように容姿は若々しい。その女性は吸血鬼の要素をよく満たしていた。だからフィーネはスッと立ち上がって頭を下げた。

色素の薄い髪に赤系統の瞳。そして病的なまでに白い肌と整った容姿。その女性は吸血鬼の要素をよく満たしていた。

「お初にお目にかかります。フィーネ・フォン・クライネルトと申します。亜人商会の代表とお見受けいたしましたが、お間違いないでしょうか？」

「ええ、あたしが亜人商会の代表よ。名前はユリヤ。好きに呼んでちょうだい」

そう言ってユリヤはフィーネと向かい合うようにしてソファーに腰掛ける。

その態度にリンフィアが顔をしかめた。

「それだけですか？　これだけ待たせておいて謝罪もないのはいかがなものかと？」

「待つのが嫌なら帰ればいいだけでしょ？　あたしたちから会ってくれと頼んだわけじゃないわ」

「……交渉相手に敬意を持っていないのですか？」

「あなたたちを交渉相手とするかはこれから決めるわ。あたしたち亜人商会は帝都進出のために手助けを必要としているけれど、だからといって誰とでも手を組むわけじゃないわ。

あたしはあたしの商会を安売りしたりしない」

そう言ってユリヤは妖艶な笑みを浮かべてフィーネに視線を向ける。

リンフィアはあくまで護衛。相手となるのはフィーネであることをわかっているのだ。

そのことにリンフィアは内心、舌打ちをした。このまま会話をリンフィア主導で進めたかったからだ。

「まずは初めまして。蒼鴎姫《ブラウ・メーヴェ》。敬称は必要かしら？」

「呼び捨てで結構です」

「そう。じゃあフィーネと呼ばせてもらうわ。正直、様付けとか苦手だから助かるのよね」

ユリヤは本当にありがたそうに笑いつつ、フィーネが準備していた紅茶を自分のほうに引き寄せる。

「飲んでも？」

「どうぞ」

「ありがと。喉カラカラなのよね」

「何かなさっていたんですか？」

「何もしていないわ。ただじっと人を観察してただけ」

なるほどとリンフィアは納得した。あえて待たせて相手の動向を観察する。さすがは大商人。やることも手が込んでいると思わず感心してしまった。

ユリヤはただの商人ではない。おそらくフィーネやリンフィアの祖父や祖母よりも長く生きており、小さな商会を亜人限定という縛りをしながら大商会にまで発展させた百戦錬磨の大商人だ。場を掌握することに慣れており、今も完全に自分のペースに持ち込んでいる。下手をすればとんでもない内容の契約を結ばされるかもしれない。

リンフィアがそんな危惧をしたとき、ユリヤはさらに驚くべき発言をした。

「帝位を狙う四人の有力候補者。それぞれが代理の者を寄こしたわ。あたしたちの協力が欲しくてね。全員と会って話してもよかったのだけど、面倒でしょ？　だから今日、それぞれ別の場所で待たせてたのよ。この場に呼んだのはエリク殿下とレオナルト殿下の代理。他の二人の候補者の代理は別の場所に呼んだの。そしてすぐに怒って帰っていったわ。まぁ目に見えていたから別の場所に呼んだのだけど」

「なるほど。では私たちは勝ち残ったということでしょうか？」

「ええ。二時間が過ぎたあたりでエリク殿下の代理も帰ったわ。脈がないと判断したのね。冷静な判断だわ。彼らのバックにはもう大商会がいる。あたしたちにそこまで時間を使うのはもったいないと思ったんでしょうね」

そこまで話したあと、ユリヤはニッコリと笑って、紅茶美味《おい》しいわと呟《つぶや》く。

自分の想像以上にやり手であることを実感し、リンフィアは少し後悔した。

亜人商会は手助けを求めている。彼らはきっとフィーネの人気を必要としており、それを交渉材料に使えば協力を取り付けるのは難しくないと判断していた。

しかし目の前の代表はそこまで楽な相手ではなかった。

フィーネでは荷が重い。手柄を立てさせるつもりで、とんでもないところに連れてきてしまったかもしれない。リンフィアはそう自分の浅はかさを呪った。

「さて、少し商売の話をしましょうか。あなたたちは帝位争いにおいて味方が欲しい。ほかの候補者たちは全員、大商会が後ろについているから資金力じゃ勝てないものね。問題はあなたたちの側についた場合、あたしたちにどんなメリットがあるか。何か提示できて？」

完全に場を掌握した状態でユリヤは話を切り出す。その顔には余裕の笑みすらあった。

素直すぎるフィーネではとても太刀打ちできないだろう。さて、どうするか。リンフィアがそう考えたとき。早々にフィーネが最強のカードを切った。

「交渉材料は私です。私を好きなように利用する権利をあげますので、どうかお力添えを」

駆け引きなど一切ない一手にリンフィアは唖然《あぜん》とするが、それ以上にユリヤが驚いていた。しかし、ユリヤもすぐに立ち直って不敵な笑みを浮かべた。

「そんな権利を貰《もら》ったら、あたしは公爵家のお嬢様じゃできないようなこともさせるかもしれないわよ？」

「どうぞお構いなく」

即答だった。ニッコリと笑うフィーネに今度はユリヤが圧《お》される番となったのだった。

4

ユリヤはフィーネの笑みに圧されていた。単純な話で、フィーネを好きなように利用できる権利に見合うものをユリヤは支払えないからだ。フィーネと同等以上に価値あるものを提供できる商人がいったいどれほどいるか。

おそらくいない。わかっているのかわかっていないのか。

ユリヤにはニッコリと笑うフィーネが恐ろしく見えた。ユリヤがもしも同等の対価を提供したら、やっぱりやめますとは言えない。裁判の最中、判決前にニッコリ笑うようなものだ。正気の沙汰とはユリヤには思えなかった。だから興味が湧いたのだ。

「理解してるの？　あたしがあなたたちが望む対価を提示したら、あなたは何をされても文句は言えないのよ？」

「理解しています。ですが、それならそれで構いません。私はアル様とレオ様のお役に立ちたいだけですから」

「……勢力のためなら自分がどうなってもいいと？　なにか弱みでも握られてるの？」

フィーネのあまりにも常識外れな自己犠牲にユリヤはなにか良からぬものを感じた。

フィーネ以外にも護衛であるリンフィアにも視線を向けるが、リンフィアはリンフィアで驚いた様子を見せていた。

「弱みなど握られていませんよ。ただお役に立ちたいだけです」

「そこまでする価値があるの？　レオナルト・レークス・アードラーはそこまでして応援する価値のある皇子なの？」

「ええ、もちろんです。私はたとえ死んでもあの方を皇帝にします。そのためにできることならなんでもしましょう。あなたが私と同等の何かを差し出せるなら私は喜んでこの身を差し出します。どうでしょうか？」

「……無理ね。私にはあなたと対等の〝何か〟は差し出せない。あなたの勝ちよ……困った子ね。まったく。駆け引きも何もあったもんじゃないわ」

そう言ってユリヤは譲歩した。ユリヤは大切な商談のときは決して自分から引くことはない。たとえ少しの値段でもマケたことはない。だが、そんなユリヤでも今のフィーネを押し切るのは無理だと悟った。本気の相手にブラフは通じない。真っ向勝負をするしかないのだ。そしてそこで勝てない以上は負けを認めるしかない。

「何が欲しいか言ってごらんなさいな」

目を見て、ただのお嬢様ではないことを察したユリヤはさっさと話を進めることにしたのだ。ユリヤにとってこの商談は重要だった。たとえ多少不利な流れでもまとまりさえすれば、それだけで見返りを得られる。

なにせもはや使えないと思っていた帝都支店を活動させられるかもしれないのだから。

「細かいことは私ではなくリンフィアさんが。お願いします」

「あ、はい。私たちの要求は資金です。帝位争いにはそれなりの資金が必要になります。これから相手の有力者を丸め込むにはいくらあっても足りません。援助をしていただけますか？」

「了解。ほかは？」

「もう一つは私たち以外の帝位候補者勢力と深い繋《つな》がりのある商人、商会に打撃を与えてください」

「商人のフィールドで打ち負かせってことね？　いいわよ。望むところ。それだけ？」

「今のところは以上です……」

「そう、じゃあこちらの要求を言わせてもらうわ。あなたたちの要求はすべて飲む。そのかわり、フィーネ・フォン・クライネルトの名前とできれば顔を使わせてほしいの」

それはリンフィアにとって予想通りの提案だった。予想通りすぎて拍子抜けしてしまったほどだ。それは帝都にいるすべての商人が思っていることだったからだ。

たとえば野菜を売るにしても、フィーネがすすめている野菜と言うことができれば飛ぶように売れる。それだけフィーネは帝都で圧倒的な人気を誇っているからだ。

誰もしないのは、勝手にそんなことをすれば皇帝の怒りに触れてしまうからだ。

しかし、フィーネ本人の許可があればそれが使える。また、フィーネの似顔絵や魔導具で作り出す幻影などを使う許可があれば、その効果はさらに増す。フィーネという人気者は商人から見れば金や銀がたくさん埋まった鉱山よりも価値があるのだ。

「ほかに要求はないのですか？」

「ないわよ。できればうまく丸め込んで有利な条件を引き出そうと思ったけれど、やめたわ。この国の皇帝もなかなか見る目があるわ。フィーネ、あなたイイ女ね。可愛《かわい》いし、度胸もある。愛人にしたいくらい」

「嬉《うれ》しい申し出ですが、誰かの者となると私の価値が下がるのでお受けできません」

「あらあら。そこでも皇子たちの帝位争いを出してくるの？　何がそこまであなたにさせるのか興味があるわね？」

ユリヤの言葉にフィーネは何と答えるべきか迷った。どういう答えが一番しっくりくるかわからなかったからだ。だから二つの答えを提示した。

「私は公爵家の娘です。帝位争いに干渉するだけの地位にいます。だからこそ、すべての民に誇れる皇帝を後押しする義務があると考えています。そういう立場を抜きにして、私の個人的な感情だけで答えるならば……大好きな人を応援するのは当然ではありませんか？」

その答えはユリヤにとって予想外だった。

前半は面白味《おもしろみ》は何一つない答えだったが、後半は違う。ユリヤが好む答えだった。

「好きだから応援するか。単純ね。たしかあなたのところの皇子は双子だけど、どっちが好きなのかしら？」

「それは秘密です」

鼻に指をあててフィーネはウインクする。その可憐《かれん》な仕草にユリヤは思わず笑みを浮かべてしまった。可憐で優雅ともいえるフィーネはなぜか応援したくなる気持ちにさせる魅力を持っていた。それゆえの蒼鴎姫《ブラウ・メーヴェ》。

皇帝に選ばれたというのは伊達《だて》ではないのだとユリヤは実感する。

「私はこれまでいろんな人間を見てきたわ。だからわかる。フィーネ、あなたは特殊で特別。だから自分を大事にしなさいな。自分を大事にしない人は他人も大事にできないわ」

「……覚えておきます」

そう言ってフィーネはユリヤに頭を下げる。

それを見てユリヤは視線をリンフィアに移した。

「支えてあげなさい。こういう子は周りが大切よ」

「言われずともそのつもりです。そちらもお忘れなく。周りとは言えなくとも、その一員に加わったということを」

「何が言いたいのかしら？」

「ほかの候補者たちと接触するような誠意ない行為はしないでいただけますね？」

「ええ、もちろんよ」

リンフィアの忠告にユリヤは深く頷《うなず》く。

商人としてはすべての候補者たちと繋がっておくのが一番だが、帝国の帝位争いは特殊だ。対立した候補者たちの関係者は大なり小なり罰を受ける。レオの勢力についた以上はほかの候補者たちは許したりはしない。表面上はよい付き合いができたとしても、帝位争いが終われば帝都から排除されるのは間違いない。

それならばレオが皇帝になるように最大限のバックアップをするのが得策だ。

「それならこちらも安心です。必要があればこちらから連絡します。それまではこちらへの接触は控えてください」

「わかったわ。仲良くしましょうね」

「はい。では、ごきげんよう。ユリヤさん」

「ええ、ごきげんよう」

そう言ってユリヤは去っていくリンフィアとフィーネを見送る。

そして二人が出ていったあと、ゆっくりと自分の掌《てのひら》を見る。汗をかいていた。フィーネの目に気圧《けお》されたのだ。あの人の好《よ》いお嬢様にあれほどの目をさせる男とはどんな男なのか。俄然《がぜん》興味が湧いてきたユリヤはソファーから立ち上がる。そして。

「開店準備を急いで。なるべく早く成果を出してレオナルト勢力に売り込むわ。できれば直接会ってこの目で本物かどうか確かめたいものね」

傍《そば》に控えていた秘書に指示を出しながらユリヤは呟《つぶや》く。

もしもフィーネが想《おも》いを抱く男が自分の興味を満たす存在ならば。

「私が奪うのも面白いかもしれないわね」

ペロリとユリヤは唇を舐《な》め、少し尖《とが》った犬歯を見せる。それを見て、秘書はため息を吐《つ》く。また悪い癖だと。この代表は価値あるモノに目がない。それがたとえ人だとしてもだ。

ややこしいことにならなければいいが。

そんなことを思いつつ、エルフの秘書は黙々と準備にかかったのだった。

5

「ふぅー……」

アルバトロ公国の城で俺は一人になって大きく息を吐いた。

激動だった。レオに成り代わってから一体、どれほど気を揉《も》んだか。

正直、疲れた。無理して背伸びするのは俺にはしんどい。

「レオどうしてるかなぁ……」

向こうは向こうで心配だ。エルナがいるから、上手《うま》くアルらしい行動をとらせていると信じたいけどな。俺が演じている以上、向こうも演じてくれなきゃ破綻する。

ただ俺以上に苦戦するのは目に見えている。レオはぐうたらに過ごすのが苦手というか、そういう風に過ごしたことがない。経験のないことはやはり難しい。

「ま、考えても仕方ないか……」

上手くやっていると信じるしかない。そのうえで考えるべきは別にある。

海竜レヴィアターノだ。

間違いなくS級超えのモンスター。今考えつく手っ取り早い討伐方法は二つ。

俺がシルバーとして出向くか、帝国側から皇帝の名代を派遣してもらって、エルナに聖剣を握らせるか。どっちかだ。

ただシルバーには南部に来る理由がない。冒険者ギルドにはまだ依頼は来ていないだろうし。一方、皇帝の名代を派遣するにも行き来に時間がかかる。

どっちもどっち。名案とは程遠い。

「どうするかなぁ」

考えをまとめていると、俺の部屋の扉がノックされた。一人にしてくれよ、と思いつつ、着崩していた服とぼさぼさの髪を整えてからシャキッとした声で返事をする。

「どうぞ」

「失礼します。エヴァがお礼を言いにまいりました」

そう言って入ってきたのはドレス姿のエヴァだった。

意識が戻ったか。できればもっと早く戻ってほしかった。そうすれば無茶《むちゃ》をする必要なかったのにと思いつつ、そんなことは微塵《みじん》も表情に出さずに意識して甘い笑みを浮かべてみる。

「ご無事なようでなによりです、エヴァ殿下。もう歩いても平気なのですか？」

「は、はい……その……助けていただき、ありがとうございました。皆が口をそろえてレオナルト皇子のおかげだと言っておりました。あなたはとても優しく、勇敢だと」

「過ぎた評価ですね。あなたを含めた生存者の救出に奮闘したのは、我が帝国の乗組員です。称賛を与えられるなら彼らこそふさわしい」

「まぁ……ではジュリオの姉として深くお礼申し上げます。ジュリオのために真っ先に海に飛び込んでくださったと聞きました。海竜がいるかもしれない海に飛び込むなんて、普通じゃ絶対できません。まさしく英雄の行いですね」

「無我夢中だっただけです」

そんな俺の返しにエヴァは優しく微笑《ほほえ》む。それに対して、俺は頬《ほお》をひきつらせた。

この状況、この光景は幾度も見たことがある。外側からだが。

レオが活躍するたびに熱をあげる貴族の女たち。エヴァの反応はそれに近い。つまるところ熱を上げているのだ。海竜すら恐れず、人命救助をした英雄的なレオに。

そんなに熱っぽく見つめないでほしい。だって俺はアルだし。困るんだ、非常に。

「そ、そういえばジュリオ公子の容態はいかがでしょうか？」

「さきほど目を覚ましました。皇子にお礼を申し上げていましたよ。あなたは理想の皇子だと。自分もいつかあなたのようになりたいと語っていました」

「そ、そうですか……」

姉には熱を上げられ、弟には憧れられる。まずい。これ元に戻ったときに面倒なことになるぞ。どうする？　嫌われるようなことをするか？

いや、無理だ。アルバトロ公国内でアルバトロの公女や公子に滅多なことはできない。それに不自然なことをすれば入れ替わりがバレる可能性もある。

だが、このままレオを続ければ熱は高まり、やがて恋になる。その光景を俺は幾度も見てきた。エヴァの目はすでにカッコいい大国の皇子に夢中だ。

無理もない。この年代の少女は惚《ほ》れっぽいし、夢見がちだ。加えてレオナルト・レークス・アードラーはそういう夢見がちな少女の好みにがっちり合うだけのスペックを持っている。皇子だし、イケメンだし、優しいし、なにより何でもできる。

前半三つは俺も負けてないが最後の一つが俺との違いだな。うん。

同じ顔なのにイケメンとか言われたことないけど。

「レオナルト皇子。立ち話もなんですので、お部屋に入っても？」

「え、あ～……」

意外にグイグイくるな。この子。苦手なタイプかもしれん。幼い頃のエルナに対するトラウマで俺は活発な女が苦手だ。もちろんエルナも苦手だ。だが、あれは幼馴染《おさななじみ》だし勝手知ったる相手だ。なんとか対応できる。

けど、こういう知らないけどグイグイくる子はちょっとなぁ。

「あ、お邪魔でしたか……？」

「いえ、その……帝国への報告書を書いていたんです。手が離せないとは思ったのですが、エヴァ殿下の申し出も心惹《ひ》かれるなと思いまして」

「まぁ……」

エヴァが顔を赤く染めて両手で覆う。ああもう……。どうすればいいんだ、これ。

街へ遊びに出かけて、女と遊ぶことなんて何度もあった。しかし、言い寄られた経験なんて一度もない。

丁寧な断り方なんて知らないし、レオを演じる以上は好感度を下げることもできない。

「お忙しいところ失礼しました。またお伺いします。次は一緒にお食事でもどうでしょうか？」

「予定が合えば喜んで」

笑顔で無難な答えを返しつつ、エヴァが帰った瞬間、俺は急いで扉を閉めた。

「まずいまずいまずい……まずいぞ……」

どうレオに説明する？　悪い、公女に惚れられたって言うか？

いやいや、それはさすがに駄目だろ。

なんとか彼女の憧れ混じりの恋慕を断ち切らないと。今は自分や弟を助けた英雄皇子にときめいているだけだ。余計なことはせずにいれば、そのうち気持ちは冷めていく。

「落ちつけ、俺。大丈夫だ、俺。こんな問題よりもっと大きな問題も解決してきたじゃないか。やってやるさ」

そんな決意を固めつつ、俺は机に向かう。何だかんだ言っても今はレオなわけで、一応は帝国に現状報告の手紙を出さなきゃいけない。

ただどう報告するべきか。素直に入れ替わったことを報告するか？　いやそれだとレオとしてやったことが実は俺だったと帝国の上層部にバレる。それはつまり俺はレオを演じようと思えば演じられるだけの力はあるとバレることに繋《つな》がる。

それはよくない。非常によくない。まだもう少し侮っていてもらいたい。

やはりレオとして報告するしかないか。

「レオならどう報告するかねぇ」

どうせついた頃には事態は変化している。現状報告をしつつ、先を読んで書くべきだろう。

海竜の出現は帝国に被害を及ぼす可能性大。アルバトロ公国との良好な関係を保つためにも、全権大使として父上に聖剣の使用許可を願う感じか。これが届く頃には最悪、南部から一つの国が消えてる可能性があるってのが怖い話だけどな。

「さっさと冒険者ギルドに依頼してくれると助かるんだがな……たぶん無理な相談か」

アルバトロ公国は海洋貿易が発展し、海軍は強力だが陸軍はその分脆弱《ぜいじゃく》だ。一方、ロンディネ公国はその逆。陸軍は強力だが海軍はそこまでじゃない。

だからロンディネが攻め込むときは毎回、陸路からだ。好戦的なロンディネに対して、アルバトロ公国はこれまで仲良くしている国から兵や装備を借りることで対処してきた。そのため、稼いでいるように見えてアルバトロ公国はそこまで豊かじゃない。

もちろん貧乏というわけじゃないだろうが、冒険者ギルドに竜討伐を依頼したらほかの国から兵や装備を借りる場合に問題が生じる。

だからアルバトロ公国はすぐに冒険者ギルドに依頼しないのだ。

これを改善するためにはロンディネ公国をどうにかするしかない。

アルバトロ公国は竜とロンディネに挟み撃ちにされているが、ロンディネをどうにかすれば竜に集中できる。

「とりあえずロンディネをどうにかするか」

方針は決まった。

今後の展開を予想しつつ、俺は帝国に向けての報告書作成に移ったのだった。

6

「帝国第七皇子、アルノルト・レークス・アードラーがロンディネ公王陛下に拝謁いたします」

「おお、アルノルト皇子。よく来られた。弟君の船は嵐に遭われたとか。ご無事を祈っておる」

「ありがとうございます」

そう言ってレオナルトはアルノルトとしてロンディネの公王に挨拶した。

ロンディネ公王は見事な口髭《くちひげ》と顎髭《あごひげ》を持った小太りの男で、年は四十後半。

名前はカルロ・ディ・ロンディネ。長く続くアルバトロとの戦争を父から継続して行っており、アルバトロが他国の協力を得ているのを見て自らも帝国の手を借りようと帝国に親善大使を送り、アルたちが来るきっかけを作った人物だ。

「さっそくだが、アルノルト皇子。弟君が不在である以上、使節団のトップはあなたということでよろしいか？」

「はい、そうなります」

レオは極力余計なことを言わず、質問にだけ答える。

レオの後ろで膝をついているエルナからもそこは何度も念を押されていた。

しかし、それだけで乗り切れるほど世の中甘くはない。

「では、皇帝陛下の返事を聞きたいのだが？」

そう言ってロンディネ公王は身を乗り出した。

すでにロンディネ公国は帝国に向けて対アルバトロ公国における援助を求めていた。

それについての皇帝の返答はノーだった。しかし、財宝の中にはいくつかの兵器や設計図を混ぜていた。公式にはノーと言いつつもロンディネとの関係を切る気はない。そういう意図だったが、その兵器のほとんどはアルが乗っていた船に積んであり、すべて海の底に沈んでしまっていた。レオはどう答えるべきか迷い、迷ったときのためにあらかじめ決めていた答えを口にした。

「それについては我が近衛《このえ》騎士よりお伝えしたいと思います。エルナ」

「はい。お初にお目にかかります、公王陛下。私は帝国近衛騎士団所属、第三騎士隊隊長のエルナ・フォン・アムスベルグと申します」

「あ、アムスベルグ……噂《うわさ》の勇爵家の神童か……お、驚いたぞ。近衛騎士が同伴するとは聞いていたが、まさかその……」

「聖剣使いが来るとは思いませんでしたか？」

エルナの言葉にロンディネ公王は何度も頷《うなず》く。

それに対してエルナはクスリと笑って、場の緊張をほぐす。見た目だけで言えば可憐《かれん》で美しい少女であるエルナが笑ったことで、少し場の空気が和らいだ。

「ご安心を。帝国外では聖剣を使うことはできません」

「い、いや、疑ったわけではないのだ……気を悪くしたなら謝ろう」

「いえ、我がアムスベルグ勇爵家はそういう存在だということはよく理解しております。そしてこれが答えです。公王陛下」

「ど、どういうことだ……？　しっかりとわかるように説明してくれ」

わけがわからないといった様子のロンディネ公王にエルナは説明を始める。

「帝国は軍事大国です。その帝国が動くということは、私のような近衛騎士や精鋭の将軍が動くということです。単刀直入に言わせていただければ、帝国にとって貴国やアルバトロ公国を滅ぼすことは容易なのです」

「う、うむ、だろうな。それは理解しているつもりだ」

「さすがは公王陛下。ご英明であらせられます。しかし、我が帝国にもライバルがおります。もしも私が正式に貴国の援軍としてこの地に来たとしましょう。そうなるとライバルたちは喜んでアルバトロ公国に手を貸します。そうなれば待っているのは両国の疲弊と南部の荒廃です」

「な、なんと……」

「残念ながらこれが答えなのです。公王陛下。我が帝国は強すぎるがゆえに動けばほかの国も動きます。ゆえに皇帝陛下は貴国の援助要請にお答えできません。貴国が優勢であればなおさらです」

「う、うむ……さすが皇帝陛下。よく大陸の情勢を考えておられる。しかしだな。我が国だけではアルバトロ公国を落とすのは難しいのだ。あの国に手を貸す国がいるからだ」

そのことにエルナは頷《うなず》く。

もちろんそのことは承知している。だから、これで我慢しろという意味で兵器や設計図を持ってきたのだが、それがない以上はうまく言葉で黙らせるしかない。

「もちろん承知しております。ですからこれから親善を続け、少しずつ御助力できればと皇帝陛下はお考えです。その手始めとして皇帝陛下は私を送ったのです。帝国の武威を見せるためです。いかがでしょう？　公王陛下。勇者の家系の力にご興味はありませんか？」

「おお！　そういうことか！　それはよい！」

ようやく意図を察したロンディネ公王は沈んでいた表情を明るくさせる。

帝国に断られたとなれば大きく方針を変更しなければいけないからだ。

ロンディネ公国単独ではもはやアルバトロ公国を落とせないのだ。時間をかければできなくはないだろうが、それでは駄目だとロンディネ公王は考えていた。

自分の代で南部を統一しなければとロンディネ公王は考えていた。そうしなければ日夜巨大化する中央の国々に勝てず、いずれは飲みこまれる。

そのために自分が統一王になるという設計が公王の頭の中にはあった。それは野心がおおいに含まれたものであったが、本当に南部のことを思っての考えでもあった。

そんなロンディネ公王にとって、最強の人間である勇者の末裔《まつえい》の力はぜひ見ておきたいところだったのだ。

「うーむ、しかしだな。我が国には一対一でそなたの相手ができる者はいない。そこでだ、アルノルト皇子。こちらは複数でも構わないだろうか？」

「本人がよいのであれば否はありません」

「構いません」

「そうかそうか。では十人でどうだ？　さすがに」

「わかりました。十人ですね」

そう言ってエルナはあっさり受けた。

まさかこんなにあっさり受け入れられるとは思っていなかったロンディネ公王だが、いまさら変更するわけにもいかず城にいる腕利きの騎士を十人呼び寄せる。

そして玉座の前に開けられたスペースで一対十の戦いが始まった。

「おおおおぉぉぉ!!」

まず最初に火ぶたを切ったのは大柄な騎士だった。模擬剣を持って突っ込むが、エルナから見れば隙だらけな突撃だった。

私の部下なら基礎からやりなおしね、なんてことを思いつつ、エルナは軽く模擬剣を振るう。

それだけで乾いた音とともに大柄な騎士が持っていた模擬剣が半ばで折れた。

「えっ……?」

まるで鋭利な刃物で斬られたかのような切断面に大柄な騎士はさーっと顔を青くする。

そんな大柄な騎士に構わず、エルナは残る九人を見る。

「同時に掛かってくることをおすすめするわよ?」

一瞬、エルナの視線に怯《ひる》んだ騎士たちだったが、すぐに公王の前だと思い出して勇気を振り絞って斬りかかる。

まずは三人が三方向からの同時攻撃。

エルナからすれば欠伸《あくび》が出るような遅さの攻撃で、すべての剣を払うようなしぐさで半ばから斬り落とす。模擬剣で模擬剣を斬り落とすという神業を何度も見せつけられた残りの騎士たちは、知らず知らずのうちに後ずさる。そんな騎士たちをエルナは一喝した。

「騎士なら主君の前で後ずさるのはやめなさい！　ロンディネに騎士はいないと謗《そし》られるわよ！」

「は、はい！　行きます！」

まるで教官と生徒だ。そんなことをレオは目の前の光景を見て思っていた。

一喝された騎士たちは恐れずにエルナに向かっていく。そして初めてエルナが剣を受け止める。それだけでロンディネ側には歓声が湧いた。

しかし、それはエルナの演出だ。それに気づいているのはエルナの部下とレオくらいだろうか。

あえて圧倒的力を見せつけ、その後は相手の顔を立てるために少しだけ手加減する。近衛騎士が貴族などを相手にするときによくする手法だ。

幸い、ロンディネ側に気づいた者はいない。そのことにホッとしつつ、こんなことがいつまで続くのかとレオは小さくため息を吐いた。

「兄さんも苦労してるのかなぁ……」

誰にも聞こえないように呟《つぶや》く。レオにとってアルは昔から自分じゃできないことをできるすごい兄だった。

子供の頃、誰にも登れない木があった。子供たちの中では、誰が一番最初に登れるかという話でもちきりだった。レオは一生懸命木登りの練習をしたが、結局レオはもちろん誰も登れず、そのまま木登りのブームは過ぎた。

しかし、それから少しあとにその木の上で小鳥が怪我《けが》をしているのをレオは見つけた。

だが、登ることのできないレオには何もできなかった。

そんなとき、アルが通りかかって事情を聞くと待っていろと言って姿を消した。

そしてしばらくするとアルは戻ってきて、あっさりと小鳥を巣に戻して助けて見せた。

アルは皇帝の部屋にあった宙に浮ける貴重な魔導具を、無断で借りてきて事態を解決したのだ。

こんな風にアルはレオには思いもよらない方法で事態を解決する兄なのだ。そんな兄ならば自分の代わりなど簡単にこなして見せるだろう。そう思い、レオは自分のことに集中した。そして一生懸命ぐうたらになろうと決意したのだった。

7

アルバトロ公王は次の日になって、ようやくロンディネとの橋渡しを求めてきた。

時間を置けたのは助かったが、国としての対応は遅い。それだけロンディネとの間にわだかまりがあるってことなんだろうが、滅んだらそこでおしまいだ。

「ではよろしく頼む。レオナルト皇子」

「はい、陛下。お任せを」

「し、しかし、本当に海路で行くのか……?」

恐れの混じった表情で公王は海を見る。

今、俺たちがいるのは港だ。要請を受けたことで俺は船の出航準備を命じた。

陸路で行くと思っていたアルバトロ公国の人たちは度肝を抜かれたようで、今でも信じられないという目で俺を見ている。

「海路のほうが早いですから。ロンディネの公都もまた港街。二日もあれば到着できます。余計な時間はかけたくありません」

「だが……海にはレヴィアターノがいる」

「貴国からお借りした魔導砲もあります。なによりなにもしなければレヴィアターノも襲ってはこないでしょう。僕が向こうの立場なら最も警戒するのは再封印です。つまり、レヴィアターノの注意はここに向いています。どうかお気をつけを」

「う、うむ……何から何まで申し訳ない。どうかよろしく頼む」

「非才の身ではありますが、お任せください」

そう言って俺は公王と別れるがそんな俺を呼び留める者がいた。

「れ、レオナルト皇子！　お待ちください！」

「これはジュリオ公子。もうお立ちになって平気なのですか？」

周りに付き添われて姿を現したのはジュリオだった。まだ安静にしていたほうがいいだろうに。それでもジュリオは一人で俺の傍《そば》まで来ると深く頭を下げた。

「旅立たれる前に一言お礼を申し上げたかったのです。多くの者を救ってくださったこと、深く感謝いたします」

自分を助けてくれたこと、姉を助けてくれたこと。そこには触れずにまず多くの生存者を助けてくれたことに触れてきた。その発想というか考え方はレオに通じるところがある。

ジュリオもまた優しいんだろうな。

「目の前で多くの人が助けを求めていたので助けただけです。何も特別なことはしていません」

「それでも救われたことに変わりません。この御恩《ごおん》は決して忘れません」

「……大げさですね。しかし、悪い気はしません。ではいつか返してもらうとしましょう」

そう言って俺はレオらしく笑って踵《きびす》を返す。そんな俺をジュリオは再度呼び止めた。

「レオナルト皇子！　僕は……皇子のようになりたいと思っています！　どうすれば皇子のように立派になれますか⁉」

その質問に答えるのは難しい。俺はレオのことはすごい奴《やつ》だと思っているが、別に立派な奴だと思ったことはない。長所と同時に短所も持ち合わせている。それがレオだ。

ここはしょうがない。正直に答えるか。

「ジュリオ公子。君が思うほどレオナルト・レークス・アードラーは立派じゃない。僕を優しいと評価する人はいるけれど、同時に甘いと言う人も大勢いる。僕を勇猛と評する人もいるけれど、同時に無謀で考え無しだと評する人もいる。僕自身、僕の理想主義的な思考は現実的な判断を求められる皇帝や皇子という立場においては欠点だと思っているよ。君は僕を英雄のように見ているけれど、僕は君が思うほど英雄じゃない」

「で、ですが……！」

「うん、わかってる。それでも良いというならアドバイスを一つ贈るよ。僕は自分が正しいと思ったことを迷わない。これは誇っていいと思っている。他の多くの短所は臣下が補ってくれるけど、決断という部分で王は孤独だ。だから僕は僕自身が正しいと思ったなら、そのことを迷わない。生存者を助けたときもそうだった。助けるべきだと思ったから助けた。結果はどうあれ、僕はそういう風に正しいと思ったら即断即決する。君も公子として誇らしくありたいなら、自分の正しいと思うことは迷わないことだよ」

「は、はい！　今のお言葉！　心に刻みました!!」

そう言ってジュリオは頭を下げる。今の言葉は俺の率直なレオへの印象だ。

レオは正直、皇帝には向いていないと思う。皇太子だった長兄は優しかったが情に流されない判断ができた。しかし、レオはその点において甘い。確実に情に流される。だが、それでもレオは迷わない。甘いとか理想主義とかそんなもんは臣下がどうにでもできる。決断できるということが皇帝には最も必要だ。

すべてを兼ね備えている必要はない。強くなくていい。謀略ができなくてもいい。ただ帝国のためを思って皇帝になり、重要な判断を下せるならそれは良き皇帝だ。

だから俺はレオを皇帝に推す。残りの三人も能力はある。だが奴らは我が強い。一に自分で二に帝国。奴らが皇帝になればそういう皇帝になる。それは阻止しなくちゃいけない。

「レオに言ったら、じゃあ兄さんでいいじゃないかとか言いそうだけど」

誰にも聞かれないように呟き、俺は船に乗り込む。俺は皇帝には向かない。

それは師であり、元皇帝である曾祖父も認めている。曾祖父いわく、皇帝に必要なのは意欲。それが欠けている以上、たとえそれ以外のすべてを満たしていても皇帝には向いていない、らしい。この場合の意欲というのは、皇帝の座への意欲じゃない。多くの事柄への意欲だ。つまり面倒くさがりは皇帝には向いていないってことだ。

まったくもってそのとおりだと思う。たかが数日、レオの真似《まね》をしただけで俺のメンタルはグダグダだ。はやくぐうたらしたくて仕方ない。

「出航！　目的地はロンディネ公国！」

俺はそんな思いを抱きながら指示を出した。レオと合流すれば少しは気が楽になる。

逸《はや》る心を抑えながら俺は海竜がいる海へと出たのだった。

■■■

出航した日は何事もなく過ぎた。そして二日目。

アルバトロ公国の海域を離れ、ロンディネ公国の海域に入ったとき。それは起きた。

いきなり唸《うな》り声《ごえ》が海の底から響いてきたのだ。

「な、なんだ⁉」

「海が鳴いてるのか⁉」

「くっ！　全員、戦闘配置！」

船上が慌ただしくなる。それに対して、俺は慌てずに部屋から出ると甲板に上がった。

すでにこの船には結界を張ってある。気配遮断の結界だ。これがあるから俺は海路を選択した。しかし、まさかここで出会うとはな。

「全員、静かにするんだ！　もう遅い。やりすごすしかない」

「で、殿下……」

「ヤツはもう下にいる」

姿は見えない。移動しているのはおそらく深海。

それでも気配遮断の結界を張ってなければ、戯れに沈められていたかもしれない。

アルバトロ公国に残る伝承では、五十メートルを優に超える長い胴体を持ち、竜らしく翼や四つ足も持つようだが今はまったく確認できない。しかし、確かに下にはいる。

それは俺だけでなく、この場にいるすべての者が人間としての本能で自覚しているらしい。全員が息を潜めているのがいい証拠だ。生命の危機をみんな感じているのだ。竜は捕食者であり、人間は被捕食者。それはほぼ絶対の法則だ。

しばらくして俺はレヴィアターノの通過を確認した。しかし、自分からそれを言い出しはしない。結局、一時間以上誰も動かないまま時は流れ、ようやくマルクがそろそろ大丈夫なのではないかと口を開いて、船はロンディネに向かうこととなった。

「さすがに終わったかと思いましたよ……」

「だな。まさかこんなところで出くわすとは思わなかったから油断してた」

「そうですね。しかし、どうしてこんなところにいたんでしょうか？」

「……ヤツにとって人間は全員敵だ。国という概念もないだろうし、ロンディネに何かしようとしたのか、それとも何かした後の帰りなのか。どっちにしろ、ロンディネは面倒なことになってると見たほうがいい」

俺のそんな不吉な言葉を裏付けるように大きな声で報告が届けられた。

「皇子！　ロンディネがモンスターに襲撃されています！」

「やっぱりか……」

「殿下、次からは思っても口に出すのはやめていただけますか？」

「覚悟ができたほうがいいだろ？」

「あなたが言うから本当になるという見方もできます」

「そんな神みたいな能力は持ち合わせてないよ」

そう言いながら俺は甲板に上がって、遠目に見えるロンディネの公都を見る。

たしかに大小さまざまなモンスターに襲われている。そんな中、一隻だけ出航して海でモンスターを食い止めている船があった。

掲げる旗は帝国の旗だ。やっぱりあいつは決断が早い。

「全速前進。兄さんを援護する！」

「了解いたしました！　総員戦闘配置！　アルバトロ公国に貸してもらった魔導砲も使えるようにしておけ！」

そう言って船長は意気揚々と指示を出す。

対海竜用に貸してもらった兵器を使えるのが嬉《うれ》しくて仕方ないんだろう。

俺は一応、レオの剣を腰につけるが重い。俺じゃとても満足には振れないだろうな。

「さてさて、元に戻るチャンスはあるかな？」

そんなことを思いつつ俺たちは真っすぐロンディネへ向かうのだった。

8

レオがその唐突な事態に出航することができたのは、基本的には偶然だった。

モンスターが現れた瞬間、レオは船に積み込む物資の確認をしていた。といっても、アルらしく最後の確認を面倒そうにしていただけだが。

しかし、モンスターが現れた瞬間、レオは異常事態を察してすぐに船の出航を命じた。

それにより海でいくつかのモンスターを食い止めることに成功し、被害の拡大はどうにか防げた。だが、それはつまり複数のモンスターの標的になることも意味していた。

「くっ！　左にもモンスターがいるぞ！」

「放っておけ！　今は目の前のヤツに集中しろ！」

船長の指示に全員が前を向く。そこには体長十メートル近い巨大な海蛇がいた。

シーサーペント。その体つきと強さから偽竜とまで呼ばれることのあるモンスターだ。

人間へどれほど危害を加えたか、そして出現場所によってランクが変わるモンスターで、より船を壊し、より深い海に出現する個体はＡＡからＡＡＡランクまで上がる。

海難事故の半分はこのシーサーペントの仕業と言われており、滅多《めった》に出現しない海竜を除けばもっとも船乗りに恐れられるモンスターだ。

しかし、ここまで陸地に近いところに現れることはまずない。

港に上陸しているモンスターは陸にも適応しているモンスターだ。しかし、シーサーペントは基本的には海棲《かいせい》モンスター。陸地で動けないわけじゃないが、海から離れれば生きてはいけない。それなのに陸地に近づくのは異常だった。

「船長！　無理して戦うな！　気を引き付けておけばいい！」

「殿下は無茶《むちゃ》をおっしゃる！　怖いなら部屋に籠っていてください！」

アルとして指示を出すレオだが、軽んじられているアルの指示には誰も耳を貸さない。

出航できたのはこの船だけであり、この船が沈めば海側への対処ができなくなってしまう。シーサーペントが上陸しないまでも、港にある多くの船を壊せばそれだけでロンディネは打撃を受ける。だからこそ、陸地に上がったモンスターが討伐されるまでは気を引くことに集中するべきという、冷静な戦況分析からくる指示だったのだが、船長は無視してシーサーペントと戦い始めた。そのことにレオは顔をしかめる。

「兄さんはいつもどうやって人を動かしてるんだ……？」

人は信頼してない者の指示は聞かない。戦闘中ならなおさらだ。

考慮すらされないほど信頼のないアルノルトという存在に困惑しつつ、とにかくこの場をなんとかしなければと思ったとき。レオから見て右側に一隻の船が見えた。それを見た瞬間、レオは笑みを浮かべて船長に強く指示を出した。

「船長！　シーサーペントの左に回りこめ！」

「殿下、ですから無茶を言わないでください！　そんな余裕は」

「いいからやれ！　レオが来た！　合わせてシーサーペントを攻撃するぞ！」

そう言いながらレオは頼もしそうに向かってくる船を見つめた。

■■■

「船長。左に回り込んでくれ」

「了解しました！　右舷砲門開け！　あの化け物蛇にたっぷり最新鋭の魔導砲を喰《く》らわせてやれ！」

アルの動きを察してレオも船を左に動かす。

そしてシーサーペントを間に置いて、すれ違うようにしてアルとレオは一斉に砲撃を開始した。そのタイミングには一瞬のズレもなかった。

「撃て！」

アルとレオの号令で二つの船から一斉に弾が発射された。

魔導砲というのは砲手が魔力を込めて、その魔力で弾を発射させる兵器だ。アルバトロができる。

公国が導入している最新鋭の魔導砲はより少ない魔力で遠くまで威力ある弾を飛ばすこと

「いいぞ！　さすがの威力だ！　もっと撃ちまくれ！」

船長が子供のようにはしゃぐ。そりゃあそうだろうなとアルは内心呟《つぶや》く。船乗りに恐れられるシーサーペントが何もできずにタコ殴りにされている。船乗りからすれば歓喜の瞬間だろう。砲撃が終わったあと、シーサーペントはそのまま海に倒れこむ。

二つの船から歓声が上がるが、まだ終わりではなかった。

「ほかのモンスターが兄さんの船に向かってる。船長！　横につけてもらえるかな？」

「お安い御用です！」

「騎士たちは乗り込む準備だ！　白兵戦で取りついたモンスターを引《ひ》き剝《は》がす！」

そう指示をしながらアルはマルクを探す。戦闘中にアルとレオが入れ替わったら、大変な思いをするのはレオだ。状況が理解できていないにもかかわらず、やることが多い。

だからアルはマルクを探した。マルクに一言言っておかないと面倒なことになるからだ。

「騎士マルク！」

「はっ！　なんでしょうか？」

「兄さんを助けにいってくる。フォローを頼むよ」

「なるほど。了解いたしました。すべてお任せを」

短い会話で意図を察したマルクは頭を下げた。こういう風にすべて喋《しゃべ》らずとも理解してくれる人がいると助かるなぁ、とアルは感心したあとホッと息を吐《つ》いた。

なにせアルは今から慣れない剣を構えて、レオのところまで行かなければいけない。余計な説明をしている余裕などどこにもなかった。

レオが乗る船には小さなモンスターがいくつも取り付いている。

アルたちの船よりもあっちのほうが脅威は少ないと判断したのだ。

その船の横につけたアルたちは、騎士を中心とした戦力で隣の船に乗り込む。

「かかれ!!」

アルは重い剣を振って号令をかける。それだけで腕がどうにかなりそうで、アルは顔をしかめた。まったく、よくこんな重い剣を振るえるな。そんなことを思いながらアルは真っすぐレオの下へ走る。

できれば部屋にでも行って入れ替わろうと思っていたアルだが、そんな簡単にはいかなかった。

「ギャァァァァァ!!」

海から先ほど倒れたはずのシーサーペントが大きな音と共に飛び出てきた。

大量の海水がアルたちに降りかかった。

誰もがシーサーペントに注目する。しかし、アルとレオだけはその限りではなかった。

水で濡《ぬ》れた甲板を滑るように移動すると、アルはレオに向かって剣と鞘《さや》を投げた。
それを苦もなくキャッチしたレオは、大きな口を開けて攻撃してきたシーサーペントに対してジャンプをしてきつい一撃を食らわせる。
レオの一撃はシーサーペントの目を的確に捉え、シーサーペントは苦悶《くもん》の声をあげて撤退していく。
そんなレオはアルの近くに着地すると、アルと背中合わせになる。その瞬間、アルは伸ばしていた背筋を曲げて猫背となり、レオは曲げていた背筋をピンと伸ばす。水をかぶって髪型や服装が滅茶苦茶《めちゃくちゃ》になった今、その程度しか二人には差はなかった。そしてそれだけで二人は完璧に入れ替わったのだった。

「遅いよ……！」

「悪い。厄介ごとに巻き込まれてな」

「もう十分厄介だと思うけど？」

「聞いて驚け。もっと厄介だ」

「わー、嬉しいなぁ……」

二人で他愛《たあい》無い会話をしていると、カエル型のモンスターがアルに向かってくる。

アルは左回りで回転する。何も言わずにレオがそれに合わせて、向かってきたモンスタ

ーを一撃で斬り伏せた。

「よくそんな重いもん振り回せるな？　俺はもう明日筋肉痛だぞ」

「大げさだなぁ。持ってきただけじゃないか」

「いやいや、ちゃんと振ったぞ」

「一回だけでしょ？　これを機に剣術の稽古したら？　そしたら僕も楽だったのに……」

「嫌だね。それにもう二度とお前とは入れ替わらない。絶対にごめんだ」

「何があったの？　僕のフリして変なことしてないよね？」

「してないぞ。立派にレオを演じてきた。だから疲れたんだ」

「それは同感だね。僕も兄さんを頑張って演じて疲れたよ」

「俺を演じるのに〝頑張って〟とかいう言葉が出てくる時点でお前は間違ってる」

そんなことを言ってる間に騎士たちがモンスターを排除する。さて、あとはお任せするかとアルは一つ伸びをしてから、気だるげな様子を醸しながら告げる。

「レオ～あとは任せた。俺は港の防衛に回るから」

「はいはい。僕が全部片づければいいんだね？」

「よくわかってるじゃないか。陸地はエルナがどうにかするし、海は任せた」

「相変わらずだなぁ。まぁいいや。じゃあいつもどおりの役割分担でいこうか」

そう言ってレオはアルが乗ってきた船に戻り、アルはレオが乗っていた船に居残る。

こうして二人はようやく元の位置に戻ったのだった。

「殿下。防衛ラインはどこまで下げますか？」

「船長に任せる。俺は部屋で寝るから」

「は、はい？」

「好きにしてくれ。どうせレオが全部やってくれる」

「……まったく。レオナルト殿下がいない間は少しはまともだと思ったのに……」

小さく呟く船長の声を聞きながら、アルはレオの頑張りに苦笑しつつ部屋に戻ってベッドの上に転げ込んだ。結局その後、アルの船は戦闘に巻き込まれることなく、アルは久々の惰眠を貪ることができたのだった。

9

激しい魔導砲の音が止《や》んだところで俺は目を覚ました。

甲板に上がるともう戦闘は終わっていた。

レオたちはどうやらほかのモンスターがいないか探しているらしい。

「もう終わったなら早く戻ってくれ。城で寝たい」

「はぁ……戻るぞ」

呆《あき》れたようなまなざしを全船員から受けながら俺は港に戻り、初めてロンディネの地を踏む。まぁ港自体はあんまりアルバトロと変わらない。向こうのほうが栄えているが。

そんなことを思っていると屋根を飛び移りながらエルナがやってきた。

「アル！」

「おー、エルナ。ご苦労さん」

ひらひらと手を振って俺はエルナをねぎらう。この様子じゃおそらく陸地に上がったモンスターはほとんどエルナが殲滅《せんめつ》したんだろう。

あちこちに転がるモンスターはほぼ一撃で倒されているのがいい証拠だ。

「別に苦労はしてないわよ。苦労したのはそっちじゃない？」

「そうだなぁ。俺は疲れたよ」

さすがに幼馴染《おさななじみ》なだけはあるな。俺が本物のアルノルトとわかるらしい。

こうもあっさり見抜かれるとは、エルナの目も侮れないな。

そんなことを思いつつ俺は顔をあげる。するとちょうどエルナのスカートが覗《のぞ》ける位置にあった。もちろん黒いスパッツを穿《は》いているから下着が見えることはない。レオならそれでもはしたないとか言うんだろうけど。

「おい、エルナ。そういう高いところは登らないほうがいいと思うぞ？」

「なに？　レオのフリでもしようっていうのかしら？　その手は通じないわよ？」

「いや、まぁ別に気にしないならいいんだけど」

エルナは余裕の表情を崩さない。絶対の自信があるんだろうな。

そういう自信を見せられると崩してみたくなってしまうなぁ。

「だから無駄よ！　ちゃんと穿いてるもの！」

「あ、うん……破けてるぞ？」

一瞬、エルナの顔から表情が消えた。そして微《かす》かに赤くなりながら俺に抗議する。

「そ、そんな手には乗らないわよ⁉」

「だから別に気にしないならいいって言ってるだろ。ただな、黒いスパッツだから淡い色の下着は目立つぞ？」

「っっっ⁉」

それが決め手となった。エルナは後ろを向いてそろりとスカートの中を確認している。

エルナは基本的に白か薄い色の下着を好む。適当に淡いって言っておけば誤解すると思ったけど、ものの見事に引っかかったな。

「ど、どこ⁉　どこが破けてるの⁉　アル～……？」

「嘘《うそ》に決まってるだろ。気づけよ」

そんなことを言いながら俺はまったりと城へ向かう。この後、レオは公王に挨拶するだろうがそのときにおそらく、緊急事態だから兄と話したいと言うはず。というか、レオからすればそれしか手がない。それまでは暇だし、城で寝るとするか。

「アル……？　どこに行くのかしら？」

「城だな」

「行かせると思ってるの？」

「むしろ行かせないといけない立場だろ？」

ここはさきほどまで戦場だった。モンスターがいつ来るかわからない。

レオならともかく、俺はさっさと避難しなけりゃいけない。

「私の傍《そば》は安全だから私の傍にいなさい」

「胸に手を当てて聞いてみろ。お前の傍が安全だったためしがあるか？　何度か死にかけているんだが？」

「いつもアルが余計なこと言うからでしょ！　まったく！　破けてるなんてろくでもない嘘、どうしてつくのよ⁉」

「それはあれだな。余裕そうだったから、一杯食わしてやろうかと」

「そういうところって皇帝陛下そっくりね……陛下も余裕たっぷりだと気に食わないってよく言うもの」

「親子だからな。まぁ悪かった悪かった。でも、たまには冒険した下着を穿くべきだと思うぞ」

「余計なお世話よ！」

　襟を摑《つか》まれて前後に激しく揺さぶられる。

　おー、世界が揺れるぅ……。

　そろそろ意識が飛んでしまいそうだなぁと思った頃にようやく俺は解放された。

　結局、その場からしばらく動けなかったため、俺はレオを迎えにきた馬車に同乗することとなったのだった。

■■■

「な、なにぃ!?　海竜が目覚めたのか!?」

「はい、陛下。すでにアルバトロ公国の最新鋭の軍船が三隻も沈められています。今回のモンスター襲来も海竜関連の可能性もありえるかと」

「そ、そんなことが起きていたのか……海竜がいるとなれば我が国も他人事《ひとごと》ではいられぬか……？」

　慌てるロンディネ公王を見ながら俺は内心でため息を吐く。せっかく手を抜けると思ったのに、エルナの奴《やつ》がもう一度入れ替わればいいじゃないとか言い出しやがったせいで、俺はレオとしてロンディネ公王の前にいる。まぁたしかにレオに説明するより俺がレオのフリをしたほうが早いことは早いんだが。それでもなんか納得いかない。

「はい。そこでアルバトロ公王は帝国にロンディネ公国との橋渡しを依頼しました。公王陛下。帝国の全権大使として申し上げます。この緊急事態に対処するために、過去の遺恨は一度水に流し、アルバトロ公国と対竜同盟をお組みください。その同盟を帝国は後押しすることを約束いたしましょう」

「う、うむ……だがなぁ」

「なにか問題でも？」

「本当に我が国に被害が出るだろうか？」

「なるほど。たしかに証拠はありません。ですがロンディネ公国に来る途中、ロンディネ方面より移動する海竜と遭遇しました。なんとかやりすごすことができましたが、滅多《めった》に陸地に近づかないシーサーペントが現れたことからも、今回のモンスター襲来は海竜がロンディネ公国の海域に来たからと見るべきです」

「し、しかし……」

「大事なのは海竜の行動範囲にロンディネ公国の海域が含まれるということでございます。公王陛下。もはや南部への航路は海竜に封鎖されたも同然です。この状況はロンディネ公国に不利とおわかりになりませんか？」

できればこんな説得はしたくなかったんだが、いつまでも歯切れの悪いロンディネ公王に焦《じ》れて俺は畳みかけるようにロンディネの不利を説く。

「航路が封鎖されたとなれば陸路での交易しかなくなります。ロンディネ公国は半島の三分の二ほどを領土としていますが、中央への出入り口のほとんどはアルバトロ公国の領土です。陸路での輸送が主となれば劣勢に立たされるのはロンディネ公国となりましょう」

「そ、それは真《まこと》なのか!?」

「我が帝国も航路を封鎖されれば援助のしようがありません。おわかりいただけましたでしょうか？　ここで海竜を倒さずに傍観するということはその状況を受け入れることと同義なのです。もちろんその状況でアルバトロ公国と戦うだけの自信があるなら止めはしませんが、そのときに帝国がどちらにつくかは私にはわかりません」

お決まりの文句で締めるとロンディネ公王の顔が青くなった。

帝国は大国だ。その動きを示唆するだけで大抵の中小国は慌てる。

ましてやロンディネ公国は帝国の手を借りようとしていた。今の言葉は想像以上に効いただろうな。

「わ、わかった！　同盟の提案を受けよう。我が国は対海竜においてアルバトロ公国への協力は惜しまん」

やっと決めたか。これでアルバトロ公国は冒険者ギルドに依頼することができる。

というか、さすがにもう依頼しただろう。帝国に仲介を頼んで失敗するとも思ってないだろうし。

さて、これでアルノルトとしての働きは終わりだな。事前にエルナとレオには、公王の説得はするがその後は自由にやらせてもらうと言ってある。おそらくロンディネは海竜に対抗するために艦隊をアルバトロ公国に向かわせるだろうが、俺はそれには同行しない。

ここからは暗躍の時間だからだ。

第四章　海竜討伐

Episode 4

1

「じゃあ行ってくるよ」

「ああ、行ってこい」

そう言って俺はレオと別れを告げる。

ロンディネ公王は次の日には艦隊を整えた。早いもんだ。ここらへんの手際の差が今の南部の領土に出ていると言ってもいいだろうな。

今回はロンディネ公王自らが出陣し、アルバトロ公国との正式な同盟を結びにいく。とはいえ、それ以上にアルバトロ方面にいるだろう海竜への対処というのが一番だろう。

「アル。一人で大丈夫なの？」

やや心配そうにエルナが訊《たず》ねてくる。その視線は頑《かたく》なに海のほうには向かない。この時点でもう怖いみたいだな。

今回はマルクもレオ側だ。俺の傍には限られた人間しかいない。

だが、ロンディネに残る俺の傍に有能な人間は必要ない。

「わざわざアルバトロ公国の海域に戻った以上、海竜の狙いはアルバトロ公国だ。この国ならしばらく安心さ。むしろ俺にはお前が大丈夫か？　って感じだが？　ほら、見てみろよ。海が綺麗《きれい》だぞ？」

「だ、だ、大丈夫よ！　せ、戦闘になれば……い、いけるわ。そ、それにアルの言うとおり……き、綺麗ねぇ……ま、まるで絵の中に飛び込んだみたい……」

港から見える海を見て、エルナが顔を青くしながらそんなことを言った。海を見る目がもう死んでいる。ほぼ間違いなく戦闘になっても使い物にならないだろうな。エルナは陸地で戦わせるのがベターだな。ま、レオならそんなこと言わなくても平気だろ。

「後は任せた。エルナのフォローもしてやってくれ」

「うん、任せて。兄さんは気長に待っててよ」

「そうだな。戦闘はお前らに任せるよ。どうにか終わらせてきてくれ。海竜がいたんじゃ帝国にも簡単には帰れないからな」

俺はそんな調子で二人を見送る。

そして艦隊が見えなくなると城へと戻って、自分に与えられた部屋に引きこもった。このままずっと寝ていたいところだが、さすがにそういうわけにもいかない。

一応、ベッドに寝ているように見える幻術を施し、俺は窓から部屋を出る。

向かう先はロンディネにある冒険者支部だ。もちろんアルノルトのまま行くわけじゃない。幻術でシルバーの恰好《かっこう》になってから行く。だが、ここにシルバーがいると一般の冒険者たちが知ると騒ぎになるので、支部に入る前に冒険者たちは眠りの魔法で眠らせる。

全員が眠ったところで俺は支部へと入る。

対象になっていなかった受付嬢は起きているが、異変に狼狽《ろうばい》していた。

「ど、どなたでしょう……!?」

「帝都支部所属、ＳＳ冒険者のシルバーだ。騒ぎにしたくないので他の冒険者には眠ってもらった。怖がらせてすまない」

「し、シルバー？　あの有名な？　〝銀滅の魔導師〟……？」

「有名かどうかは知らないがな」

そう言って俺は冒険者カードを受付嬢に見せる。

恐る恐る受け取った受付嬢は、その内容を見て驚愕《きょうがく》の声をあげた。

「ほ、本物!?」

「だからそう言っている。すまないが遠話室を貸してほしい」

冒険者ギルドの支部には遠話室というのが存在する。特殊な結界が張られた部屋で、中央に置かれた水晶によって本部やほかの支部の遠話室にある水晶と繋《つな》ぐことができる。

大陸各地に支部を置き、モンスターへの素早い対応が求められるギルド秘伝の技術だ。

「わ、わかりました！　こちらへどうぞ！」

支部の遠話室を使えるのはギルド職員かS級以上の冒険者だけだ。単独で高ランクモンスターに対応できるS級以上の冒険者はギルド内でも扱いは別格ということだな。

遠話室に案内された俺は、すぐに本部へと繋いだ。そして。

「SS級のシルバーだ。副ギルド長を呼んでくれ」

『かしこまりました』

さすがに本部の職員は慣れてるな。驚くこともせず冷静に対応してくれる。

しばらく待っていると水晶に髭面《ひげづら》のおっさんの顔が浮かび上がった。

黒い髪に青い瞳。ナイスミドルという言葉が似合うそのおっさんの名前はクライド。

かつてはS級冒険者として大陸中を駆け巡った猛者だ。今は引退して本部の副ギルド長をしている。

『どうしてお前さんが南部の支部から遠話してくるんだ？』

「知人に会いに来ててな」

『知人ねぇ。お前にそんな奴がいたとは驚きだ』

「人間だからな。知人くらいはいる。それはさておき、妙な噂《うわさ》を耳にした。事実か？」

『隠しても仕方ないか……事実だ。アルバトロ公国から正式に海竜討伐依頼が来た。本部は今、てんやわんやだぞ』

「だろうな。本部の認定ランクは？」

『Ｓになる予定だ。ただ、これからの破壊活動次第じゃＳＳ級に上がる。そうなればＳＳ級冒険者が複数であたる最上位討伐クエストだ』

「やめておけ。海竜を討伐できてもアルバトロ公国がめちゃくちゃになるぞ」

俺以外のＳＳ級冒険者たちが複数集まる。それは冒険者ギルドとしても避けたい事態だろうな。どいつもこいつも化け物みたいな強さを持ってるくせに、常識は持ち合わせていない。奴《やつ》らが揃《そろ》えば海竜と引き換えに海の生物が全部死ぬとか、港町が再起不能になるとか、そういう規模の被害が出かねない。

『俺だって招集したくはない。悪いんだが、ちょうどいいから討伐してくれるか？』

「おつかいみたいに言うな。このあと所用で帝都に戻る。その後で良いなら引き受けよう」

『そうか……早めにやってほしいんだがなぁ』

「何か問題でも起きたのか？」

『……極秘の情報だったんだが、なぜか帝国に漏れた。そして帝国では救援の話し合いがされているらしい』

「上手《うま》く介入できれば南部に大きな貸しが作れるからな。だが……二次災害が増える可能性もある」

というか間違いなく増える。艦隊なんて派遣しても嵐で沈められるだけだ。

帝国にできるのは精鋭を派遣することだが、そんなことをするよりは現地にいるエルナに任せたほうがいい。

おそらく父上が考えているのは、エルナに聖剣を使わせるべきかどうかだろうな。

『そのとおり。帝国が介入して混乱する前に冒険者ギルドとしては片をつけたい』

「気持ちはわかるが、いつどこに現れるかわからない海竜を南部で待ち続けるのはごめんだ。出現したならばすぐに向かう。それでどうだ？」

『まぁそれで我慢しよう。俺のほうで話は通しておく。最近の帝国は帝位争いで面倒だ。できれば介入させたくない。出現の報告が来たらすぐに向かってくれ』

「善処しよう」

そう答えて俺は遠話を終了させる。

冒険者ギルドの極秘情報が漏れたか……。嫌な予感がするな。これを機に手柄をあげようとしている者がいる気がする。そこらへんを上手く阻止しないと状況がぐちゃぐちゃになりかねない。ここはやはり帝都に一度戻るべきだな。

「ありがとう。では失礼する」

「は、はい！」

受付嬢に礼を言うと俺はロンディネ支部を出た。

明日になったら帝都に飛ぶか。フィーネたちの状況確認と帝国の介入具合を見てみよう。

もしも帝国が本気で介入する方向で動いているなら、目論見《もくろみ》を潰すのはシルバーとしての立場に影響するし良くない。

帝国と冒険者ギルド。上手くどちらの顔も立てつつ解決できればベストだが。

「まぁ、戻ってから次第か」

幻術を解いたアルノルトの姿で呟《つぶや》く。最悪、そこに手が回らないくらいフィーネたちが追い詰められている可能性もあるし、やはり戻ってみないとわからない。

「とにかく無茶《むちゃ》していないといいんだがな」

フィーネはああ見えて無茶をする。吸血鬼と戦ったときも平気で時計塔に登り、落ちている最中も自分の身よりも笛を優先させた。

自分を軽んじているところがある。そういう面が出てないといいんだけど。

そんな心配をしながら俺は城へと戻るのだった。

2

翌朝。俺は具合が悪いと言って部屋に籠った。

そしてベッドの上には幻術を残す。これでベッドで寝ているように見えるはずだ。

そこから帝国南部国境付近の街まで転移魔法で飛び、さらにそこから帝都まで飛ぶ。

飛んだ先は爺《じい》さんの隠し部屋だ。そこにはよく知った顔がいた。しかし爺さんの姿はない。たぶん本の中で休息中だろうな。精神体とはいえいつでも起きてるわけじゃない。適度に休息を取らなければ精神が参ってしまうからだ。

「お帰りなさいませ」

「セバスか。どうして今日帰ってくるってわかったんだ？」

「わかったわけではありません。毎日待っていただけです」

「毎日って……まめだな」

「まめでなければ執事は務まりませんので」

そう言ってセバスはシルバーの仮面とローブを渡してくる。

俺はシルバーの恰好に着替えながらセバスに状況を訊ねる。

「どうなってる？」

「勢力争いは順調ですな。リンフィア殿が非常に優秀でした」

「そうか。引き込んで正解だったな」

「ですな。しかし、フィーネ様が少々……」

「フィーネが何かしたのか？」

言い方的にフィーネ自身に何かあったわけじゃない。もしもフィーネに何かあったならセバスもこれほど冷静ではないはずだ。

そう自分を落ち着けていると、セバスが答えを返してきた。

「リンフィア殿との提案で亜人商会の代表と会談を行いました。そのときフィーネ様が相手の代表を説得したそうなのですが……」

「そうなのですが？　俺は傍《そば》を離れるなと言ったはずだぞ？　リンフィアは信用しているが、全幅の信頼を置くには早すぎる」

「申し訳ありません。私とリンフィア殿が二人ともついていけば警戒させてしまうかと思いまして」

「……まぁいい。それで？　フィーネはどうやって代表を説得した？」

「ご自身を取引の材料にされたとか。自分を自由にできる権利を提示し、それに対して何が出せるのかと。結局は向こうが見合うものを提示できずに折れ、その後はあっさり協力を取り付けられたようです。向こうの要求は、フィーネ様の名前を使わせてほしいというごくごく当たり前の要求でした」

「はぁ……」

まったく。無茶なことをする。

自分を顧みない子だとは思っていたけど、そこまでか。自分に釣り合う何かを相手が提示してきたなら、それはそれでいいと思ってたんだろうな。

「困った子だな」

「それをお主が言うかのぉ」

そう言って突然、現れたのは微《かす》かに透けた小さな老人。

我が師匠にして曾祖父。うちの爺さんだ。

「どういう意味だよ？　爺さん」

「自分の評判なんて二の次。自分を顧みないという点でお主も同類じゃろ？」

「俺はいいんだよ。そういう立場のほうが動きやすいんだし」

「その娘も似たようなことを思っているじゃろうて。自分はいいのだと。そっちのほうがよいのだと。いつの世も悲しいのぉ、セバス。子供が子供でいられんとは嘆かわしいことじゃ」

「まったくです」

爺さんが二人そろって嘆くようにため息を吐《つ》いた。なんだか居心地が悪い。

まるで俺が悪いみたいな空気にされたぞ。ふざけないでほしい。

「どっかの誰かさんが皇帝にいる間に帝位争いの慣例を変えてくれてれば、俺はいつまでも子供だったんだけどな」

「毎度毎度、賢帝が生まれるならば廃止したじゃろうがな……。そういうわけにもいくまい。だから帝位争いはあるのじゃ。皇帝の器ではない者でも、それなりに皇帝が務められるようにのぉ。優秀な者が集まるほうが珍しいのじゃ」

勝手な理屈を押し付けてくれるもんだ。内心に溜《た》まっていた不満が噴出しそうになるが、それを出しても仕方ないため俺は何も言わずに扉へ向かう。

「アル」

「なんだよ？」

「その娘を責めるな。お主ならわかるじゃろ？」

「……言われなくてもわかってるさ」

俺に責める資格なんてない。

そう内心で呟きながら幻術で自分の姿を消して俺は部屋を出たのだった。

■■■

レオの部屋。俺やレオがいないときも、ここはフィーネたちの拠点だ。

そこで俺は立ったままフィーネを待っていた。そしておそらく支持者たちとの話し合いを終えたフィーネがリンフィアと共に帰ってきた。

「っ⁉　し、シルバー様⁉」

「シルバー……」

「ごきげんよう。フィーネ嬢。少し話がある」

「は、はい……」

俺は視線をリンフィアへ移す。

リンフィアはもちろん自分も話を聞く気でいるらしいが、そういうわけにはいかない。

「下がっていてもらえるか？　クライネルト公爵領で出会った女冒険者」

「覚えていていただけて光栄です。しかし、私は今はこの方の護衛ですので」

「二人で話がしたい。どうか時間をくれ」

「……疑うわけではありませんが、はいそうですかと言うわけにはいかないのです。お許しください」

一歩も退《ひ》かないリンフィアの姿勢はとても頼りになる。ここで簡単に退くようならフィーネを任せてはいない。だが、今はそれが邪魔だ。

そう思っているとセバスが助け船を出してくれた。

「私が護衛につきましょう。ご心配なく、邪魔は致しませんので」

「……わかった」

「ではリンフィア殿。別室でお待ちいただけますか？」

「……セバスさんがそう言うのなら」

そう言ってようやくリンフィアは部屋を出ていった。

リンフィアがたしかに部屋を離れたのを確認すると、セバスは隣接する部屋へと移動した。これでようやく二人きりだ。

「お帰りなさいませ。こちらに来たということは向こうで何かあったのですか？」

「まぁいろいろあるんだが……今はその話は後回しだ」

「？　後回しですか？」

キョトンとした様子でフィーネは不思議そうに首を傾《かし》げた。それ以上の用件があるとは思えないんだろう。それは自分への優先度がかなり低いからだ。

「……亜人商会の代表と会ったらしいな」

「はい！　上手く交渉もまとまりました！　代表さんもいい人でしたよ」

そう言ってフィーネはニッコリ笑う。その笑みを見るのが辛《つら》い。

辛さの理由はわかってる。歪《いびつ》な鏡に映った自分を見ているようだからだ。

自分が今までやってきたことに後悔はしていない。必要だったし、これからもするだろう。だが、周りの人間にこういう思いをさせていたんだなと思うと罪悪感が湧いてくる。

「……なぁフィーネ。俺が言えたことじゃないのはわかってる。反感を抱くかもしれない。それでも聞いてほしい」

「はい？」

「もっと自分を大事にしてほしい」

ブーメランも良いところだ。何度レオに言われたことか。だが俺は望んでその場にいた。フィーネのように頑張って自分の優先順位を落としていたわけじゃない。

これからの言葉がフィーネにどんな反応をもたらすか。容易《たやす》く想像できた。だが、それでも言わなきゃいけない。きついなぁと思いながらも俺は言葉を続ける。

「自分を顧みないフィーネを見るのは辛い。役に立とうとしてくれているのはわかってる。けど、そこまでしなくていい」

「……で、ですけど……私は……アル様のお役に立てていないので……」

泣きそうな顔でフィーネは呟く。その姿を見て後悔が芽生えた。配慮に欠けていた。文句も弱音も吐かないから勝手に大丈夫だと思っていた。

公爵領から出たことのないフィーネだ。帝都に出てきて心細かったに決まってる。それでも役に立とうと必死だったんだろう。それに対して何のフォローもしてこなかった。外に連れ出したことが何度あった？　息抜きをさせたか？

帝位争いのことしか頭になかった。正直、俺も余裕がなかったんだろう。

母上の言葉が頭をよぎる。あなたはいつも無理をするんだから。母上は別れ際にそう言った。あのときは軽く流したが、たしかに無理をしてたのかもしれない。

休む暇がなかった。だが、休む時間は作るべきだったな。

もしもこの歪な状況がずっと続いていたら、俺はフィーネを失っていたかもしれない。

「フィーネ……君は特別だ」

そう言って俺は銀の仮面を外す。こうやって外すところを見せられるのはセバスとフィーネしかいない。

セバスは最初から知っていた。だから正体を知ったのはフィーネしかいない。

「アル様……」

「こうやって二つの顔を見せられるのはセバスと君しかいない。セバスは俺にとって保護者だし、常に傍にいてくれた親みたいなもんだ。だから……他人じゃ君が初めてだ。そしてこの秘密を知ったときから君は他人じゃない。レオが唯一無二の弟なら、君は唯一無二の共有者だ。代わりなんていない。傍にいてくれればそれでいい。こうして秘密を共有してくれるだけで、どれほど楽か……」

そうだ。楽だった。甘えてたのかもしれない。そう思うと罪悪感も増してくる。

「わ、私は……そんなに特別じゃありません……アル様やレオ様のようにすごくないんです……で、でも、私はアル様の秘密を知ったから……あなたのお役に立たなければいけなくて……」

「ああ、いつも助けられてる。ありがとう。すまない、もっと早くに礼を言うべきだった」

必要とされることは人間にとって喜びだ。なのに俺はフィーネにそれを伝えてこなかった。だからフィーネは不安だったんだろう。俺の秘密を知ったこと自体がフィーネにはプレッシャーだったんだ。

だから自分の優先順位をどんどん下げていった。勢力の利益を優先していった。それで俺が喜ぶからだろうな。我ながら浅ましい。こういうときは自分の性格が嫌になる。

俺の言葉を聞いてフィーネの目から涙が零《こぼ》れ落《お》ちる。それは止まることなく、フィーネはそのまま両手で顔を覆って泣きじゃくり始めた。

フィーネはまだ十六歳の少女だ。たとえ本人が望んだこととはいえ、領地から連れ出して暗殺の危機がある帝位争いに関わらせている。精神的なケアをする義務が俺にはあった。

「許してほしい。俺も余裕がなかった」

「ひっ、ひくっ！　ちがっ……います……っく……ア、ル様の……せいじゃ……」

「じゃあ二人のせいだな。お互いに反省しようか」

そう言って俺はフィーネの髪を優しく撫《な》でる。フィーネは唯一無二の共有者だ。反省も喜びも共有すればいい。そのまま俺はフィーネが落ち着くまで髪を撫で続けた。そして。

「……もう……大丈夫です……」

「そうなのか？」

「はい……大丈夫です」

そう言ってフィーネは赤くなった目で俺を真っすぐ見てきた。

純粋で強い目だ。確固たる意志が感じられる。

「お話しください……南部で起きていることを。私がお手伝いします」

「ああ、よろしく頼む」

そう言って俺は包み隠さず南部で起きたことを伝え始めた。

おそらく近いうちに海竜が動き出すこと。そんな南部の異常事態に介入しようとしている奴《やつ》が帝国にいること。それを阻止しなければいけないこと。

「まぁこんくらいか。軍を動かして介入しようと画策する奴なんて一人しかいない。奴が失敗するならそれはそれでいいが、前線で犠牲になる兵士たちが可哀想《かわいそう》だ。ここは帝国の介入を最小限に留《とど》め、俺が海竜を討伐するのが理想だと思う」

「はい。私もそう思います。それで……一つ案があるのですが……帝国の介入を最小限に抑えつつ南部を救う方法が」

「奇遇だな。俺も一つ案がある。問題は鍵となる人物を説得できるかなんだが、俺は出ていけない。頼めるか？」

「お任せください。私が説得してみせます」

そんな俺の頼みにフィーネは柔らかく微笑《ほほえ》むと優雅に一礼して見せた。

3

フィーネとの話し合いが終わり、リンフィアが合流する。

リンフィアはフィーネの目が微《かす》かに赤いことに気づき、鋭い視線を俺に向けてきた。

「何事ですか？」

「南部に海竜が出現した。そう言えば君ならどれぐらいまずい状況かわかるだろ？」

「か、海竜!?」

「シルバー様は冒険者ギルドからの要請がなければ動けないそうです……」

「東部で吸血鬼を倒したときとは状況が違う。南部の二国が同盟を結び動き出している。この状況で俺が個人で介入すれば事態を違った意味でややこしくしかねない。そもそも同じS級指定でも二人の吸血鬼よりも海竜のほうが数倍厄介だ。確実に仕留めるなら援護要員が欲しい」

俺一人で仕留めようと思えば仕留められるだろうが、相手は海竜だ。討伐するとなれば大魔法を放つことになる。しかし大魔法は強力すぎる。海竜を討伐しましたが、周辺海域の生態系を破壊しましたでは話にならない。だから被害を抑えるためにエルナが必要だ。

「相手が竜となれば当然ですね」

事態の深刻さをリンフィアはすぐさま理解した。さすが冒険者と言うべきか。まぁ冒険者じゃなくても理解できるくらいヤバい存在というのが竜だが。

「それであなたはどのような狙いでここに？」

「南部には聖剣使いがいる。彼女が聖剣を使えるなら彼女と俺だけで十分だ。だから帝国には皇帝の名代を派遣してもらいたい」

「アムスベルグ家の聖剣は帝国外では使えないという制約ですか。それをどこで知ったのですか？　私も皇子たちに教えてもらうまで知らなかったのですが？」

「SS級冒険者になれば普通の冒険者では知り得ないことも知ることができる。その説明じゃ不服かな？」

「帝国の国家機密も知れるのですか？」

「聖剣の制約は国家機密じゃない。隠しているわけではなく、広まっていないだけだ。聖剣を使う機会自体が少ないからな」

「……なるほど。わかりました」

まだ訝《いぶか》しむ視線をリンフィアは向けてくるが、それ以上は追及しない。

今はそこを追及しても仕方ないからだろう。俺がどこでその情報を仕入れたのか聞くよりも、南部の問題を片付けるほうが大事だしな。

「あなたがわざわざ訪ねてくるということはフィーネ様に頼みがあったのでしょう。帝国の上層部は南部の問題に首を突っ込もうとしているということでいいでしょうか？」

「察しが良いな。ああ、そうだ。なぜか冒険者ギルド内の機密が帝国に漏れてな。冒険者ギルドも帝国の介入を警戒している。冒険者ギルドとしては帝国に一切介入してほしくないようだが、俺としては聖剣の使用許可だけは出してほしい。だが、今のままだとおそらく帝国は皇族の一人を名代として派遣しつつ、軍も派遣するだろう。その軍が余計だ。どうにか切り離したい」

「そのためにフィーネ様を？　一体、どういう手を使うつもりですか？」

「帝位争いをしている三人は自分を名代にと言っているだろう。おそらく有力なのは将軍であるゴードン皇子だな。とはいえ、彼以外の二人になっても軍が動く。それは避けたい。俺が求めているのは皇帝の名代として機能する皇族とその皇族を護衛する少数の手練《てだ》れだけだ。その程度なら俺の転移魔法ですぐに運べるし、その戦力で今回の一件は解決できる」

「つまり、三人以外の皇族の方をフィーネ様に説得してほしいということですか？」

さすがはリンフィアだ。物わかりがよくて助かる。

俺が頷《うなず》くとリンフィアのほうも一応納得したようだ。問題は誰を説得するか、だ。

「帝位争いをしている三人は決して俺の提案を飲まない。名代として出ていき、聖剣使いが解決すれば手柄にならないからだ。必ず彼らは軍を率いることを望む。最終的に聖剣使いが活躍したとしても、それならば手柄をすべて持っていかれることはないからだ。望ましいのは帝位争いに加わっていない皇子だな」

とはいえ、そういう皇子は少ない。母親繋《つな》がりでエリク、ゴードン、ザンドラの誰かに与《くみ》している奴がほとんどだ。そんな中でベストな人材がいる。

「では第四皇子殿下が望ましいですね」

「そうだな」

すぐにピンポイントな答えが出てくるあたり、今の帝位争いについて勉強したんだろう。勤勉なことだ。第四皇子の母は皇后。つまり皇太子と同じ母親を持ち、後宮の権力争いとは無縁だ。

そして本人も文を書くことに生きがいを見出《みいだ》しており、帝位に興味を示したりしない。言い方は悪いが聖剣の運搬役という地味な役にも抵抗は示さないだろう。ただ帝国外の、しかも海竜がいる場所に足を運んでくれるかどうか。そこはフィーネの説得次第だな。

「では、行きましょう」

そうフィーネが切り出す。その目はやる気満々だ。さて、それじゃあ交渉といくか。

■■■

「嫌でありますよぉ」

そう言って速攻で断ったのは大柄な男だった。

とはいえ、ゴードンのようにガタイがいいというわけじゃない。いやまぁ、ガタイもいいんだがそれ以上に腹が出ている。皇族の中で最も大柄で最も太っている。

とにかく大きくて丸い。それが第四皇子、トラウゴット・レークス・アードラーだ。

茶色の髪に青い瞳。そしてダサい眼鏡。皇族の中で一番見下されているのは俺だろうが、皇族の中で一番笑われているのはおそらくこの人だ。

長兄はシュッとしたイケメンだったのに、なぜこうなったと言いたくなってしまう。

「しかし、殿下」

「フィーネ女史の頼みでも無理なものは無理なのですよぉ。自分、今、傑作を制作中ゆえ」

そう言ってトラウ兄さんは書きかけの文章を見せてくる。律儀に受け取ったフィーネはそれを軽く読むが、すぐに閉口する。そうだ。トラウ兄さんは残念ながら文才がない。あれなら馬術とか剣術とかのほうが才能はある。少なくとも俺よりは運動神経はいい。なぜなのか……。

何とも言えない気持ちになっていた俺をトラウ兄さんが見てくる。

「噂《うわさ》のシルバー氏とお見受けするが？」

「いかにも。お初にお目にかかる」

「自分に頼みを持ってきたのはシルバー氏の企《たくら》みですかな？」

「ほぼそうですね。海竜が出現している状況で南部に軍を派遣されると面倒なので。あなたなら皇帝の名代として少数の護衛だけを引き連れて南部に行くことを了承していただけると踏んだ」

「いい着眼点ですなぁ。しかし、自分はこのとおり傑作制作中。手が離せないのでお引き取りを」

トラウ兄さんはふざけた外見とふざけた考え方を持っているが馬鹿というわけじゃない。というか、長兄の弟だ。そこまで愚かなわけがない。俺の意図もしっかりと理解した上で、そのふざけた理由で断っているのだ。なぜなのか……。

「殿下！　南部の多くの民や帝国海軍の兵士たちのためにもどうかお願いします！」

「フィーネ女史の頼みなら引き受けたいところですがねぇ。しかし、自分は帝国の皇族で南部の民は他国の民。そこまでする義理はないのですよ。それに好きこのんで軍人になってるわけですからね。彼らが危険だからという理由で動いていたらキリがないのでは？」

地味に鋭い返しだな。どうしてこういうところを文に生かせないのか。

「それは……」

「お引き取りを。自分は動く気はないので」

「……南部にいるご兄弟はどうされるのですか？」

断られたあともフィーネは食い下がる。そして民や兵士ではトラウ兄さんが動かないと察し、俺やレオのことを持ちだす。それはさきほどよりもトラウ兄さんを動かした。

「それを言われると痛いですなぁ。しかし、アルノルトもレオナルトももう大人。自分でどうにかするでしょう」

「では大人ではない方たちは？　あなたが断ればあなたが庇護《ひご》すべき方たちに頼まねばなりません」

フィーネが言っているのはクリスタや末弟のことだろうな。このまま断るならば二人のどちらかを引っ張りだすと言っているのだ。それを聞いた瞬間、トラウ兄さんはギロリとフィーネを睨《にら》んだ。

「弟や妹を使って自分を脅すつもりですかな？」

「どう受け取ってもらっても構いません」

「……末弟はともかくクリスタ女史は我が皇族の宝。あの金髪美少女を危地に送るのは本意ではありませんし、そのようなことをすれば人類の同胞たちから批難は避けられないでしょう」

「は、はぁ……」

大げさだし、またわけのわからんことを。しかも末弟はいいのか。まだ十歳だぞ？　思わずため息を吐《つ》きそうになるが、なんとか堪《こら》える。

「しかし傑作制作中であることもまた事実……悩みますなぁ」

「悩まれるなら動くべきです！　古来よりよき文を書く方は、よき経験をした方です！　妹も助け、そのうえでよき経験を積まれれば一石二鳥です！　それに南部のために立ち上がれば、殿下の名声もあがります！　その名声に惹《ひ》かれて、多くの文人が訪ねてくることでしょう！　それは傑作を書くこと以上の価値があるのでは!?」

畳みかけるようにフィーネは利を並べる。それを聞いてトラウ兄さんは少し悩む。

「一つ聞いても？　フィーネ女史」

「はい」

「フィーネ女史はどうしてそこまでされる？　帝位争いのためですかな？　それとも別の理由が？」

「大切な人の危地を救うのに理由がいりますか？」

真っすぐな答えだった。それを聞いたトラウ兄さんは少し驚いたあと、一つ頷いた。

「尊い。尊いですな。よろしい。そんな真っすぐで綺麗《きれい》な答えを返されてはこのトラウゴット。動かぬのは文人の恥と言えましょう。そのフレーズはいただきました。報酬はそれでよろしいですぞ」

そう言ってトラウ兄さんは眼鏡をくいっとあげると立ち上がる。

まったくもって理解できないが、何かがトラウ兄さんの中で動いたんだろう。

こうしてフィーネの説得によって俺たちはキーマンを手に入れたのだった。

4

「父上！　このトラウゴットがお願いをしたくまいりました！　どうか！」

「この無礼者！　会議中にいきなり入ってくるでない！　そしてやかましい！」

「ひぃぃぃ!?　も、申し訳ありません!!」

「はぁ……」

玉座の間の両開きの扉をバンッ！　とかっこよく開いて突入したトラウ兄さんは大声で父上に語り掛け、速攻で負けず劣らず大きな声で怒られて外に戻ってきた。

あまりに恐ろしかったのだろう。微《かす》かに息を乱しながらトラウ兄さんは告げる。

「はぁはぁ……ガツンと言ってきたでありますぞ……」

「まぁ、あなたがそれでいいならいいが……」

やっぱりこの人は文才がない。今の状況をどうやってガツンと言ったと表現できるんだろうか。どう見てもガツンと言われた側だろうに。

さしものフィーネも苦笑いを浮かべている。まったく……。皇后の息子で頭も悪くない。

こういう性格じゃなきゃ帝位争いにも加われただろうに。

呆《あき》れつつ、俺は玉座の間の扉を静かに開ける。門番は当然いるが阻止しようとする者はいない。俺の姿を見て、ピンとこない帝都の民などいないからだ。

「失礼する。皇帝陛下」

「ふん……珍しい客が来たな」

「シルバーが皇帝陛下に拝謁します」

「なにが拝謁だ。門を通って城に来たなら真っ先にワシに報告が入るはずだが？」

「緊急時ゆえ少々マナーに反する入り方をさせていただいた」

「城は帝国の中心。そこへの無断侵入は即死罪でもおかしくないのだぞ？　マナー違反で済む話ではない。殺されに来たのか？　それともいつでもワシを暗殺できるというアピールのつもりか？」

「牽制《けんせい》は不要。あなたが愚かな君主ならこのような入り方はしない。賢明であるあなたは俺をどうこうしたりはしないし、暗殺など不可能であることも知っているはずだ。だから無礼ではあるが正式ではない入り方をさせていただいた。そこは謝罪しよう」

帝剣城の上層。つまり皇帝の生活スペースには強力な結界が張ってあるため、ここでの転移魔法は使えない。

またその周辺には常に近衛《このえ》騎士が控えており、暗殺なんて考える奴《やつ》は頭がどうかしている。本気になったとして、俺でも届くかどうか。なにせ帝剣城には俺も知らないさまざまなギミックがある。暗殺に備えた逃げ道だってあるだろう。一度でも取り逃がせば、今度はこっちが地の果てまで追われることになる。そんな馬鹿な真似《まね》はするわけがない。

「それでも許せないというのであれば、前回助けたことでチャラにしていただきたい」

「ふむ、まぁよいだろう。それで用件は南部の件か？」

「ええ。〝なぜか〟冒険者ギルドから情報が漏れたようで。ギルドはあなた方が余計なことをしないか気が気じゃない様子だ」

なぜかという部分を強調して言うと、父上は鼻で笑う。

さすがに気づいているか。今、父上の目の前にはエリク、ゴードン、ザンドラがいる。この三人の誰かが情報を引き出したのだ。

「余計なこととはひどい言いようだ。ワシらが南部を救おうとするのがそんなにいけないことか？」

「それは構わないと俺は思っている。ギルドはどうだか知らないが、あなた方が正しい対処をすれば救われる者も多いだろう。俺が危惧しているのは間違った対処をすることだ」

「さすがはＳＳ級冒険者。なかなかに傲慢だ。帝国の正否をお前が決めるのか？」

「正否を決めるのは俺ではなく結果だ。そして間違った対処の結果は火を見るよりも明らかだと言っている」

しばし俺と父上は視線を交差させる。不遜もいいところだが、それが許されるのがSS級冒険者だ。俺がいることによって帝国はモンスターの脅威から守られている。

今回、南部で起こったような出来事が帝国で起きても、俺がいることで帝国は混乱しないで済む。だからある程度の不敬も目を瞑《つぶ》ってもらえるわけだ。まぁ父上は性格上、不敬というだけで罰したりはしないが。

「では聞こう。何が正しく、何が間違っている？」

「それを説明するのは俺の仕事じゃない。俺はすでに俺ができるだけの伝手《つて》を使った。それは後ろの二人の仕事だ」

そう言って俺は父上の前から一歩引く。代わりにトラウ兄さんとフィーネが父上の前に出た。フィーネの姿を認めて、父上の顔がほころぶ。

「元気そうだな。フィーネ」

「はい、皇帝陛下。このような形で拝謁することをお許しください」

「よいよい。お前ならいつでも会いにくるといい」

その姿は溺愛する娘に会った父親のそれだ。とはいえ、その言葉を真に受けていつでも会いにいくほどフィーネは子供じゃないし、そこを利用して帝位争いを有利に運ぼうとも俺は思わない。なぜなら父上はどれだけ溺愛していても、罪を犯せば裁ける皇帝だからだ。フィーネを溺愛していても、こちらに有利な判断を下すことはない。

「お心遣いに感謝いたします」

「ち、父上。自分を」

「皇帝陛下だ。トラウ」

「あー、皇帝陛下。率直に言わせていただくと、自分を皇帝の名代として派遣していただきたいのですぞ。南部に」

フィーネが挨拶から入って段取りよく進めようとしているのに、この空気の読めない四男はいきなりぶっこみやがった。まぁ父上相手に下手な駆け引きをするだけ無駄っていう判断かもしれないけど。というか、そう思いたい。

「寝言は寝ていいなさい。豚」

「あまり横やりは感心しないな」

「邪魔をするなら潰すぞ？」

間髪入れずに黙っていた三人がトラウ兄さんに口撃を仕掛ける。いきなり罵声を浴びせられたトラウ兄さんはひるんだ様子を見せながらも、空気の読めない発言で切り返す。

「あ、相変わらず口調と目つきが厳しいですぞ、ザンドラ女史……だから結婚できないのでは？」

「挽肉《ひきにく》にして家畜の餌にするわよ？」

「ひぃぃぃぃ⁉」

よくもまぁ父上の前でそんな発言をできるな。二人とも。

緊張感がやや欠如した中、フィーネが咳払《せきばら》いをして自分に注目を集める。そして。

「発言をよろしいでしょうか？」

「よいぞ」

「ありがとうございます。トラウゴット殿下を説得したのは私です。理由は南部に軍を送ることは帝国に利がないからです」

「ほう？　フィーネが軍事を語るか」

「浅知恵ではありますが、どうかお聞きください。帝国が南部の救援を掲げて軍を送ったとしても、到着までに幾日もかかります。その間に海竜が倒されれば無駄骨となりますし、仮に到着したとしても相手は海竜。艦隊といえど壊滅させられる恐れがあります。古来より竜退治に軍が投入されたことはありません。これは竜という存在を討伐するのには数よりも質が重要だからです。ゆえに私はトラウゴット殿下を名代として派遣し、南部にいるエルナ様に聖剣の使用を許可するのが帝国の利になると考えます」

流暢《りゅうちょう》に喋《しゃべ》るフィーネだが、さすがにフィーネ自身の考えじゃない。というよりはフィーネも似たような考え方ではあるが、ここまで論理だてて喋るようなことはしない。

ここに来る前に皇帝への説明はフィーネがするということは話しておいた。そこで皇帝に説明することをあらかじめリンフィアが考えて、フィーネに伝えていたのだ。

「ふむふむ、なるほど。一理ある。しかし、フィーネ。名代がトラウでなければならない理由はなんだ？」

「ほかのお三方では格が高すぎます。今回の名代の役目は聖剣の運搬です。ほかのお三方に任せてしまえば、名声に傷がつくでしょう。申し訳ありませんが、トラウゴット殿下ならばその心配はありません」

「フィーネ女史、辛辣でありますなぁ……でも可愛《かわい》いから許すでありますぞ。可愛いは正義ですからな」

「トラウ、少し黙っておれ……」

頭痛を堪えるように額を押さえつつ、父上がトラウ兄さんに釘《くぎ》を刺す。まぁ頭痛がしてくるよな。俺もしてきたし。

「皇帝陛下。俺から蒼鷗姫《ブラウ・メーヴェ》に質問が」

「許可しよう」

「蒼鷗姫《ブラウ・メーヴェ》。お前の理屈であれば、俺が軍を率いて名代となっても同じではないか？　頑《かたく》なに軍を派遣させたくないのはなぜだ？　聖剣使いと帝国軍が一緒になって負けるとでも言うのか？」

「いいえ、ゴードン殿下。勝利は間違いないでしょう。しかし、時間がかかります。幸い、ここにはシルバー様がおられます。シルバー様ならば名代と数人の護衛ならば転移魔法で南部に連れていけます。今は数よりも早さ。それに帝国最強の聖剣使いと帝国最強の冒険者。この二人がいるならば軍は不要でしょう。もちろん帝国の名声は大陸に響きますし、帝国の損害もありません」

完璧だな。ゴードンは頭を働かせて反論を考えているようだが、この状況じゃ三人に勝ち目はない。帝国の利を説くならばこれ以上の手はないからだ。

帝国の被害はなく、名声だけを勝ち取れる。そしてさきほどフィーネが言ったように名代として聖剣の運搬役を引き受ければ、ただの引き立て役となり三人の名声とプライドに傷がつく。しかし。

「詭弁《きべん》ね。私たち帝国が独力で南部を救ってこそ名声が響くのよ。冒険者ギルドと協力なんてごめんだわ。それなら冒険者ギルドだけでやればいいのよ」

「ふむ、エリク。お前はどう思う？」

「私はフィーネの意見に賛成です。これがもっとも帝国に利があるでしょう。ザンドラの意見は冒険者ギルドとの関係悪化を招くばかりか、帝国、ひいては皇帝陛下の器が小さいという風聞を立たせることになるかと」

さすがはエリクだな。状況を見極めて早々に勝ち馬に乗って、しかもザンドラへの攻撃も忘れない。ザンドラが鋭くエリクを睨《にら》みつけるが、エリクはどこ吹く風だ。

そんな中、ゴードンが真っすぐ父上を見つめる。

「皇帝陛下。すべて俺に任せていただきたい。この機に乗じて南部を手に入れてみせよう」

それは何一つ包み隠さない言葉だった。南部救援など建前で、それを機に侵略するのだとゴードンは告げたわけだ。それに対して、父上は苦笑する。

「正直な奴だな。しかし、今は南部などいらん。欲しいならば自分が皇帝になったときに奪うのだな。この話はフィーネの案で終わりだ。今、南部を手に入れる旨味《うまみ》は薄く、海竜討伐に軍を派遣するのも利はない」

「しかし、父上！」

「皇帝陛下だ、ザンドラ」

「くっ！　皇帝陛下！　冒険者側の思惑に乗る必要はありません！」

「前回、ギルドを蔑《ないがし》ろにして痛い目にあったしな。今回はシルバーの顔を立てて、冒険者ギルドに協力してやろう。わざわざ頼みに来たのだ。エルナがいた方が楽なのだろう？」

「ええ、単独でやるのは骨が折れること間違いないので」

「では決まりだ。トラウ、前に出よ」

そう言うと父上は自分の指につけている指輪を外す。それは代々、皇帝に引き継がれてきた魔法の指輪だ。つけているときに効果などはないが、他者に皇帝の権利の一部を任せることができる。つまり名代を指名するときに使うアイテムということだ。

「トラウゴット・レークス・アードラーを我が名代に命じる。南部に赴き、勇者に剣を届けるがよい」

「かしこまりました」

さすがにここでは変なことを言わないか。

ちょっとハラハラしていた俺はホッと息を吐《つ》く。そんな中、玉座に伝令が入ってきた。

「報告！　アルバトロ公国に海竜出現！　冒険者ギルドがシルバー殿を探しておいでです！」

「来たか……」

「近衛《このえ》騎士隊を一つ護衛につけるが、シルバー。息子を頼むぞ」

「ご安心を。かすり傷一つなくお返しいたしましょう」

「どうせなら護衛は美少女がよかったでありますな」

「南部にあなた好みの近衛騎士がいますから、彼女で我慢していただきたい」

「あまりに規格外に強い女性は自分の守備範囲外なのですぞ」

エルナが聞いたら激怒しそうだな。

そんなことを思いながら、俺はトラウ兄さんたちと共に帝都支部へと向かうのだった。

5

少し時は遡る。ロンディネの艦隊と共にアルバトロ公国に向かっていたレオは、公国にたどり着いていた。相手に警戒を与えないために、レオとロンディネ公王の船だけが港へ入り、アルバトロ公王の歓待を受けた。

「よくぞお越しくださった。ロンディネ公王」

「この非常事態。来ないわけにはいかぬでな、アルバトロ公王」

そう言って二人は固く握手を交わす。長く争ってきた両国の王が握手を交わすというのは歴史的な出来事だった。港近くで警戒しあう両国の艦隊も、王同士が何事もなく会ったことに少し警戒を和らげる。

レオとエルナもひとまず会うという初歩の初歩はクリアできたことにホッと息を吐いた。

「どうにか第一段階はクリアね」

「そうだね。あとはここからどういう風に海竜に対抗していくのかだね」

レオとエルナは話しながら二人の王を追って城へ向かおうとする。

しかし、エルナがいきなり海側を振り返る。その手はすでに剣に伸びていた。

そしていきなりエルナは剣を引き抜く。

「エルナ!?」

「総員警戒態勢！　殿下と両陛下を守りなさい！　来るわ！」

エルナの指示を聞いて近衛騎士たちが護衛につく。それとほぼ同時に海の上で竜巻が発生した。それはロンディネとアルバトロの両艦隊の中央で発生し、二つの艦隊の一部を飲み込んでいく。突然の異常事態に誰もが言葉を失う。

両艦隊の三分の一ほどを飲み込み、海の藻屑《もくず》と変えたあとに竜巻は一瞬で消え去った。

そしてそれは姿を現した。

「海竜レヴィアターノ……!?」

透き通った水のような薄く綺麗《きれい》な青い鱗《うろこ》に包まれた細長い竜がそこにはいた。

一対の翼と一対の腕。海の中にはおそらく足もあるだろう。海に適応した竜。外見としては蛇に近いがそれにしては大きすぎた。姿を現している部分だけで五十メートルは超えている。伝承に聞くよりもよほど大きく、そして威圧感のある姿に誰もが戦慄した。

そんな人間たちの反応に興味も示さず、レヴィアターノはゆっくりと口を開く。

それだけでレヴィアターノの口には巨大な水弾が出来上がった。

通常の水魔法とは比較にならない。その危険性をすぐに理解したエルナは指示を下した。

「回避！」

近衛騎士たちは隊長の判断を信じ、近くにいた王を抱えるようにしてその場を離脱する。

エルナもレオと一緒にその場を離れた。それとほぼ同時に、さきほどまでエルナたちがいたところにその水弾が着弾した。轟音《ごうおん》が響き、まるで隕石《いんせき》でも落下したかのような巨大なクレーターがそこにはできていた。

それを見てレオとエルナの顔が青ざめる。自分の危機だからではない。これから起こる戦いでこの街がどうなるか察してしまったからだ。

「くっ！　エルナ！　この場で指揮をとりつつ、民の避難を進めてくれ！」

「レオ！　どうするの⁉」

「船で出る！　せめて海上に注意を向けないとこの街が終わる！」

「無茶《むちゃ》よ！　一隻でどうする気⁉」

「混乱している艦隊を僕が指揮する！　彼らには指揮官が必要だ！」

「他国の艦隊よ⁉　しかもつい最近まで争ってた国の！　下手すれば混乱して撃たれるわよ⁉」

「兄さんが僕の代わりに同盟まで持っていってくれたんだ！　このままそれが崩壊するのを見ているわけにはいかない！」

そう言ってレオは走り出す。エルナは呼び止めようとするが、それは叶《かな》わない。

レヴィアターノの第二射が来たからだ。港を飛び越えて公都の中心部に向かおうとするその水弾に対して、エルナは一撃を加えて進路を変える。さきほどのクレーター近くに着弾した水弾はまた新たなクレーターを作り出す。

「いつまで持つかしらね……」

痺《しび》れる右腕と一撃で刃こぼれした愛剣を見ながら、エルナは呟《つぶや》く。

せめて聖剣があれば、そんなことを思いながらエルナは王の避難と民の避難を周囲の者たちに指示し、自分は水弾への対処を始めたのだった。

■■■

「船長！　砲撃をしてくれ！」

「あのデカブツにとっちゃ豆鉄砲みたいなもんですが⁉」

「それでもやってくれ！」

「無茶を言う人だ、あなたは！　近づくぞ！　覚悟を決めろ‼　野郎ども‼」

レオの命令を聞き、レオの船は砲撃が届く距離までレヴィアターノの近くまで肉薄し、魔導砲による砲撃を加える。しかし、硬い鱗を持つ竜にはかすり傷も与えられない。

だが、それでもレオは砲撃を命じた。そして自分は魔導具の受話器を取った。

「周辺にいるロンディネ、アルバトロの艦隊へ告ぐ！　僕は帝国第八皇子、レオナルト・レークス・アードラー！　僕らはレヴィアターノの注意を引くために攻撃を仕掛ける！

両艦隊の中にまだ海竜を恐れない船があるならば、僕らに続いてほしい！　少しでもい！　港から注意を逸《そ》らす！　共に沈む覚悟がある船はあるか!?」

レオの呼びかけに真っ先に応じた船があった。すでにレオの船が見えた瞬間、レヴィアターノのほうに舵《かじ》を切っていたその船はすぐにレオの船の援護に入っていた。

「お供します。殿下」

それはアルが港に突入したとき、真っ先に制止した船だった。

すぐに気づいたのはレオの船の船長だ。

「殿下！　あの時の船です！」

「あの時？」

「殿下が港に突入したときに止めに来た船ですよ！」

船長に言われて、レオはアルから聞いていた話を思い出す。しかし、アルは港に突入したとしか話していなかったため、レオはなんとか話を合わせるしかなかった。

「あの時の船か」

呟きながら、何か特別なことがあったなら伝えてよとレオは内心で思うのだった。

しかし、それはそれで兄らしいともレオは思う。話さなかったということは、アルにとって絶対に話さなきゃいけないことではなかったということだ。

まだまだ話してないことは一杯あるだろうなぁとレオは呟く。だが、レオはそれが楽しみだった。レオにとってアルはいつだってすごい兄だ。だからこそ、その兄が目に見えてすごいことをするのはレオにとっては楽しみだったのだ。

どうだ、自分の兄はすごいだろ。そんな風にレオが思っている間に、レオの船の周りにはアルバトロ公国の船が集まっていた。そんなアルバトロ公国の船に負けるなとばかりに、ロンディネ公国の船も集まり始める。それを見て、レオは深く息を吐いて指示を出した。

「勇敢な両国の船に感謝する。一斉砲撃開始！　とにかくレヴィアターノの注意を僕らに向けろ！」

こうして急造の艦隊がレヴィアターノへの砲撃を開始したのだった。だが、レヴィアターノの目はアルバトロの公都に向いたままだった。なんとか自分たちに注意を向けようとレオたちは奮起するが、レヴィアターノはまるで作業のように水弾を放ち続ける。

港ではエルナが何とか水弾の進路を変えていたが、それでも消し去ったわけではない。進路の変わった水弾は人のいないところに着弾し、そしてその場の建物や地形を変えていく。まるで地獄絵図のような状況の中、一人の少女が冒険者ギルド、アルバトロ支部に迷い込んでいた。とはいえ、すでに支部は半壊しており、職員も避難していた。

それでも少女は支部の奥へ向かう。そこには遠話室があった。かなり前に海竜出現の報告をしたあと、放置されたその場で、少女、エヴァは膝をついて懇願する。

「どうか……どうか……誰でも構いません……我が国をお救いください……このままでは

我が国が滅んでしまいます……！　我が国の民がすべて海竜の災禍に飲み込まれてしまいます……！　誰でも構いません……どうか我が国をお救いください……海竜討伐の依頼をどうか引き受けてください……！」

護衛とはぐれたエヴァは避難する民たちと離れ、この場に向かってきた。

冒険者ギルドには遠くの支部と連絡する遠話室があることを知っていたからだ。そこでエヴァは神に祈るように真摯に懇願し続ける。もはや頼れるのは冒険者だけだった。

ギルドが抱えるＳＳ級冒険者ならばこの状況をどうにかできるはず。

そう思い、エヴァはずっと救援要請を口にし続ける。それはエヴァの思惑を飛び越え、大陸全土の冒険者ギルド支部に発信されていた。建物が半壊したときに全支部に向けて発信するモードに切り替わっていたのだ。本来、大陸全土に及ぶ最上級の危機を全支部に伝えるモードだが、今はエヴァの懇願を大陸全土に伝えていた。

聞こえてくるエヴァの懇願は職員だけでなく、支部にいた冒険者たちにも伝わっていた。

その懇願を聞き、なんとかしたいと思う冒険者たちはいたが、彼らには南部に行く術《すべ》がなかった。そしてそれは帝都支部でも同様だった。

「ちくしょう……！」

「なんとかできねぇのか⁉」

「うるせぇ！　騒いだって変わんねぇだろうが⁉」

「なんだと⁉　女が助けを求めてんだぞ⁉」

「騒いで助けに行けんのか⁉」

酒を飲んでいた冒険者たちは漏れてくる少女の懇願を聞き、自分たちの無力さを呪う。

悪態をつき、荒れながら酒を飲み、彼らは誰かが声をあげるのを待っていた。

だが、その間にもエヴァの懇願は流れ続ける。緊急事態を告げるモードのため、支部全体に流れてしまうのだ。

職員たちも悲痛な表情を浮かべる。そんな中、支部に入ってきた男がカツカツとギルドの奥へと進み、同じく大陸全土の支部に伝わるモードで応じた。

「すぐに行く。待っていろ」

それはエヴァにとって予想外の返答だった。まさか本当に救援が来るとは。しかもすぐに行くと言った。どういうことかとエヴァが混乱していると、エヴァの横の空間に裂け目が出来た。そこから銀の仮面をつけた黒いローブの男が出てきた。

「あなたは……？」

「帝都支部所属、ＳＳ級冒険者のシルバーだ。依頼を受けにきた」

その声は当然、すべての支部にも届いていた。

その瞬間、多くの冒険者たちが自分たちの代表の到着に歓声を上げたのだった。

6

城を出るとき、フィーネは城に残って俺を見送った。

ここから先はついていっても無駄だとわかっているからだろう。

その代わり、フィーネは小さく俺にだけ聞こえる声で呟いた。

「いってらっしゃいませ。お帰りをお待ちしています」

「ああ、行ってくる」

そんな会話をした後、俺はトラウ兄さんと護衛の近衛《このえ》隊の騎士たちを引き連れて帝都支部に向かった。その帝都支部に入ると、いきなりエヴァの声が耳に入ってきた。

「――誰でも構いません……どうか我が国をお救いください……海竜討伐の依頼をどうか引き受けてください……！」

すぐにエヴァが遠話でメッセージを発していることに気づいた。

しかもこれは大陸規模の危機を伝えるときの緊急警報だ。おそらく何らかの理由でそれが作動しているんだろう。それを知ってか知らずかエヴァが冒険者たちに助けを求めているわけだ。それを聞いてギルドにいる冒険者たちは悔しがったり、喧嘩《けんか》しあったり、酒を飲んだり、とにかく荒れている。

モンスターに襲われている少女に助けを求められ、助けられない。それは冒険者という職業につく者たちにとって屈辱以外の何物でもない。そういう助けを求める者たちを助けるのが冒険者の使命だからだ。無力感に苛《さいな》まれ、そこからくる苛立《いらだ》ちを彼らは抱いている。

そのことに俺はとても安心した。帝位を巡って身内同士で争う馬鹿な家がある中で、名前も知らない少女の懇願を聞いて無力感に包まれる奴《やつ》らがいる。気分のいい話だ。

だから俺はそんな奴らを代表して、支部の遠話室に入ると一言声をかけた。

「すぐに行く。待っていろ」

その言葉と同時に俺は支部に転移の裂け目を作る。

繋《つな》がる場所は南部国境にあるギルド支部。

「行くぞ。第四皇子」

「よろしい。少女の助けを呼ぶ声は見過ごせぬゆえ」

そう言って俺は転移の裂け目に入ると、南部のギルド支部に到着する。

全員がギョッとしたような顔をしたが、気にせず今度はアルバトロ公国のギルド支部に繋がる転移の裂け目を作り上げ、すぐに入った。

そして壊れたギルド支部に到着すると俺は膝をつくエヴァと目が合った。

「あなたは……？」

「帝都支部所属、ＳＳ級冒険者のシルバーだ。依頼を受けに来た」

目を見開くエヴァだが、すぐに目に涙が溜《た》まっていく。

それを見ればどれほど不安だったかわかる。

「よく頑張った。すぐに避難するんだ」

「は、はい……でも、弟が……」

「弟？」

「やれることをやると城へ行ってしまって……」

なんだか嫌な予感を覚えていると、少し遅れてトラウ兄さんたちも追いついてきた。

顔を見る限り、転移が気に入ったようだ。

「ほうほう。ここが南部か。転移魔法とは実に素晴らしいですな、シルバー氏」

「感心してないでさっさと聖剣の使用許可を出してくれ。第四皇子」

「そう簡単ではないのですぞ。エルナ女史に聞こえなければ意味がないのです」

「じゃあ目立つところに行くか」

そんなことを思って、とりあえず半壊したギルド支部を出ると外は大混乱だった。

港近くの建物はかなり壊されており、海には巨大な竜がいた。

「デカいですな。本当に倒せるので？」

「一人じゃ苦労するだろうな」

そんなことを言っていると、海竜の口あたりに水弾が浮かび上がる。

しかしデカい。なんだあのデカさは？

「今までよりも大きい⁉」

エヴァの言葉を聞き、俺は防御魔法の準備を始める。あんなものが市街地に落ちたら大惨事というだけでは済まない。まだまだ逃げ遅れた民も大勢いる。

どうにか気を引くべきか。考えていると城の最上階から声が聞こえてきた。

「こっちだ！　レヴィアターノ‼」

その声はジュリオのものだった。拡声の魔導具でも使っているんだろう。

その手にはかつてレヴィアターノを封じた魔導具があった。

レヴィアターノがアルバトロ公国を襲撃した理由はおそらく再封印を恐れたというのと、長く眠りにつかされたことへの復讐《ふくしゅう》。それがわかっているから、ジュリオはあえて目立つ行動をした。自分のほうに視線を向けさせるために。死ぬとわかっていても、市街地にいる多くの民を守る気なんだろう。レヴィアターノの目が動き、ジュリオの姿を捉えた。

『そこにあったか。我を眠らせた憎き道具。もはや力を失ったようだが、また眠らされても敵《かな》わぬ。消させてもらおう』

そう言ってレヴィアターノは元々デカかった水弾をより巨大なモノに作り替える。

あれはまずい。防御魔法を準備しながら、転移の裂け目を作り出す。

『無謀な小童《こわっぱ》。その度胸に免じて、苦しませず滅してくれる』

そう言ってレヴィアターノは超巨大な水弾を城の上層に向かって発射した。

同時に俺は転移の裂け目を潜《くぐ》って、ジュリオの前に出た。

「お許しを……父上、母上、姉さん……」

「謝罪は会ってするんだな」

目を瞑《つぶ》って死を覚悟するジュリオに向かってそう言い放つと、俺は巨大な防御魔法を展開する。それは盾だった。

蒼《あお》と銀で配色されたその盾は城の前に出現すると、レヴィアターノの水弾に立ち向かう。

《その盾は神の大盾・誰もがその名を知っている・それは守護の代名詞・すべての弱者のために創られた・ゆえに神すら破ること能《あた》わず・ゆえにその盾は無敗無敵・その名は――イージス》

盾の名前を唱えた瞬間、盾は光り輝く。そしてレヴィアターノが放った超巨大な水弾を苦もなく滅してしまった。ジュリオはその光景に驚き腰を抜かしている。

そんなジュリオを心配してか、エヴァが転移の裂け目を抜けてやってきた。

「ジュリオ！」

「姉さん……」

「良かった、良かった……！　もうダメかと……！　もう大丈夫よ……来てくれた……助けが来てくれたわ……！」

「助け……？」

「アルバトロ公国の双子の殿下とお見受けするが？」

「は、はい……僕はジュリオ・ディ・アルバトロです……」

「冒険者ギルドよりやってきた。SS級冒険者のシルバーだ。そして」

「帝国第四皇子、トラウゴット・レークス・アードラーと申す」

転移の裂け目より出てきたトラウ兄さんがそう自己紹介をした。名乗りは威厳ある感じなんだが、その目はずっとエヴァに向いている。涙目の美少女というのはトラウ兄さんにはなかなかポイントが高かったらしい。

ぶん殴ってやろうかと思ったが、立場上できないので俺は言葉で釘《くぎ》を刺す。

「第四皇子。さっさと仕事をしろ」

「いや、もう少し美少女を鑑賞してもいいのでは？　シルバー氏の盾は長持ちでは？」

「あなただけ盾の外に放り出すぞ？」

「それは困る……仕方ない。皇族としての務めを果たすとしましょう」

そう言ってトラウ兄さんはジュリオが使っていた拡声の魔導具を摑《つか》み、自分のほうに引き寄せる。そのとき、トラウ兄さんは初めてジュリオを見た。そして。

「そういえばジュリオ公子。さきほどの行動は良かったですぞ。民のためにあそこまでできる者を自分は今は亡き我が兄しか知りませぬ。ゆえに自分も今このときはあなたのようでありましょう。民に誇れる皇族に」

そう言ってトラウ兄さんは拡声をし始めた。その間にもレヴィアターノは次の攻撃準備をしている。だが、トラウ兄さんはよりにもよって悠長に演説を始めた。

「このアルバトロ公国にいるすべての者よ。自分は帝国第四皇子、トラウゴット・レークス・アードラーである。この声が聞こえる者は耳を傾けよ」

早くしてほしいとは思うが、聖剣召喚はトラウ兄さんが許可し、エルナがその許可を認識しなければいけない。

確実にするためにはトラウ兄さんとエルナが互いの居場所を知っていたほうがいい。だからこれからトラウ兄さんはエルナに呼びかける。それまでは守らないといけない。

「この混迷する状況の中にあって、自分は父である皇帝陛下の名代としてこの地に参った。それはこの地を救うためではない。この地を守るためでもない。それは自分の仕事ではない。自分はただ届けにきただけだ」

一撃の重さではダメだと思ったのか、レヴィアターノは無数の水弾による波状攻撃を仕掛けてきた。それをこちらも無数の魔法陣で受け止めていく。その間でもトラウ兄さんは一切、演説を途切れさせない。

「我が騎士たちはこの地にいるか？　勇気ある騎士は？　力ある騎士は？　誇り高き騎士

は？　この状況をなんとかしたいと思う騎士はいるか？　今、目の前で理不尽に苦しむ者たちを救いたいと思う騎士はいるか？　いるならば名乗りをあげよ。我が名において、この地を救う誉れをその騎士に与えよう!!」

　その言葉に応えはない。聞こえていないわけがない。

　この地にいるすべての騎士が、ぜひ私にと言いたいところだろう。

　だが、このトラウ兄さんの号令に応えることが許されるのはこの地でただ一人だけだ。

「ここにいます!!　殿下！　あなたの号令に応える騎士はここにいます!!」

　そして迫る水弾の一つを切り払い、エルナが颯爽《さっそう》と現れた。

　その姿を認めたトラウ兄さんは一つ頷《うなず》くと、芝居がかった仕草で片手を振るう。

「名を名乗れ！」

「エルナ・フォン・アムスベルグが殿下の号令にお応えします！」

「よろしい！　皇帝、ヨハネス・レークス・アードラーが名代、トラウゴット・レークス・アードラーが命じる！　聖剣を取れ！　勇者よ！」

　その瞬間、エルナが空に腕を掲げる。そして天より極光が降ってきた。

　光り輝くそれを握り締めたエルナは、徐々に剣に変わるそれを握り締めながら呟《つぶや》く。

「感謝します。殿下」

「礼など不要ですぞ。エルナ女史。これは皇族の責務。さて、それでは自分はここで高みの見物をさせてもらいましょう。帝国最強の騎士と帝国最強の冒険者。このタッグが竜と戦うのを見るのは良き取材になりそうですからな」

そう言ってトラウ兄さんはいつものようにやや気持ち悪い笑みを浮かべる。

そんなトラウ兄さんに苦笑しつつ、俺は空に浮きながらジュリオのほうを見る。

「さて、ジュリオ公子。俺の依頼主はあなた方だ。だから確認しておくが……あの海竜、討伐してしまっても構わないのだな？」

「っ⁉　は、はい！　どうぞ御存分《ごぞんぶん》に！」

そんなジュリオの返事を聞き、俺はエルナと共にレヴィアターノのほうを振り向いた。

7

「足を引っ張ったら承知しないわよ？　仮面冒険者」

「こちらの台詞《せりふ》だぞ、女勇者」

「なっ⁉　私が足を引っ張るわけないでしょ⁉」

「そうか？　ずいぶんと苦戦していたようだが？　素直に名代を連れてきてくれてありがとうと言ったらどうだ？」

俺の挑発的な言葉にエルナが肩を震わせる。おー、怒ってる怒ってる。

そんなエルナの様子を楽しみながら、俺は防御と治癒の結界をアルバトロの公都全体に張る。エルナがなんとか奮戦してたようで、民が集中している部分には被害はない。ただ、それでも怪我人《けがにん》は多数。逃げまどう人々も多い。

ただ先ほどよりは落ち着きを取り戻している。トラウ兄さんが過剰なほど大げさにエルナへ聖剣召喚の許可を出したから、公都全体に救援が来たことは伝わった。

別にその効果を狙ったわけじゃないだろう。トラウ兄さんがあいう演説をしたのは半分は趣味で、半分は名代としてのパフォーマンスだ。できるだけ大げさにして、帝国の威信やら存在感を示すことがトラウ兄さんの役割だった。それを果たしただけだ。

それでも公都の混乱が緩和したのはトラウ兄さんのおかげだ。

性格が残念でなければぜひ皇帝に推したいところなんだがなぁ。

「聞いてるの⁉　シルバー！」

「ん？　なんだ？　何か言ったか？」

「あら、そう……私の言葉なんて聞く価値もないって言いたいのかしら？」

エルナが青筋を浮かべながら笑う。そんなエルナに苦笑しつつ、俺は訊《き》く。

「すまないな。他のことを考えていた。それで君のことだ。どうせあの海竜の倒し方について かな？」

「わかってるなら答えなさい。なにか策がある？　ないなら私の策でいくわよ？」

「まぁないわけじゃないが、まずは勇者のお手並み拝見といこう。俺は何をすれば？」

「とにかく公都を守りつつ、気を引きなさい。私が斬るから」

「俺は囮《おとり》か。君らしいな」

そんなことを言いつつ、俺は少しだけ前に出る。

それを了承と受け取ったのか、エルナはエルナでその場から移動する。

『我の水弾を防ぐ人間がいるとはな。驚きだ』

「俺も驚いている。竜は賢いモンスターだ。なぜ人間とあえて争う道を選んだ？」

『ふん、不本意な眠りにつかされたのだ。その雪辱を果たさねば竜の誇りを失うことになる。我はすべての生物の頂点に君臨する竜だ！　人間などに舐《な》められてたまるものかっ！』

「誇りか……くだらないな。命よりも大切か？」

『まるで我に勝てるといわんばかりの台詞だな？』

「勝てるさ。人間を舐めるな」

そう言った瞬間、レヴィアターノの前に大量の水弾が浮かび上がった。

百や二百じゃきかない。さきほどまで本気じゃなかったということか。

『もう一度言おう。人間ごときに舐められてはたまらんのだっ！』

「こちらももう一度言おう。人間を舐めるな」

そう言って俺は自分の背後にほぼ同数の魔法陣を展開した。一撃の重さじゃ防がれるから、手数を増やしたんだろうが。

「手数で俺に勝てると思うなよ？」

『人間がっ！』

公都の上空で無数の水弾と魔法がぶつかり合う。まるで合戦だ。

互いに決め手に欠ける消耗戦。足りなくなればレヴィアターノは水弾を、俺は魔法をどんどん追加して、弾幕を張り続ける。状況を知らない者が見れば特殊な花火と思ってしまうかもしれない。それくらい色とりどりの火花が空で散っていた。

『くっ！　生意気なっ！』

そう言ってレヴィアターノは口を大きく開く。今までの水弾はあくまでレヴィアターノの能力であって、竜特有の攻撃手段〝ブレス〟ではない。ようやく切り札を切らせることができたか。

そう思っているとレヴィアターノの口の中で水がどんどん圧縮されていく。そして小さな玉まで圧縮され、そこから光線のように水のブレスが発射された。

俺はいくつも重ね掛けした防御魔法で逸《そ》らそうとするが、そんなものは存在しないと言うかのように水のブレスはすべて貫いて俺に向かってくる。

「マジかっ⁉」

咄嗟《とっさ》にその場を離脱すると、俺が今までいた場所を水のブレスが通り過ぎていき、公都の奥にある山を易々《やすやす》と貫いていく。

「やっべぇ……」

その光景を見て、俺はさすがに冷や汗をかいた。幾重にも重ねた俺の防御魔法を貫いたうえであの威力っておかしいだろ。超高圧縮したウォーターカッターってところか。レヴィアターノ版の聖剣だな。ありゃあ。なんでもバターみたいに斬れるし、貫ける。これは防衛戦は不利だな。さっさと決めにいったほうがいい。

さすがに連発できないのか、レヴィアターノは俺の隙をついて水弾をけしかけてくる。それを相殺しながら俺は空を見る。そこではエルナが精神統一をしていた。

あれはガチで竜を斬る気だな。あそこまで集中してるエルナを見るのは久々だ。ただし。

「早くしろよ……」

トラウ兄さんのときとは比較にならないほどの水弾をどうにか相殺しながら、俺は文句を口にする。

だが、そんな声も今のエルナの耳には入らない。レヴィアターノと俺が一瞬、間を置いた瞬間。エルナは空から急降下を開始した。目指すはもちろんレヴィアターノだ。

『調子に乗るな!!』

レヴィアターノは水弾をエルナに放つが、エルナは最小限の動きで避《よ》ける。そしてレヴイアターノの頭部に向かって聖剣を振り下ろした。

眩《まばゆ》い聖剣を見て、危険と判断したんだろう。レヴィアターノは身をよじって回避する。だが、レヴィアターノの巨体で回避しきれるはずもない。胴体をがっつり斬り裂かれ、そのまま左側の翼も斬り落とされる。

『ぐぉぉぉぉぉぉ!?』

痛みと驚きでレヴィアターノは海へと沈んでいく。今が最大の好機だ。追い打ちをかけるべきなんだが……。

「あいつ……」

空の上でエルナは追い打ちをかけようと降下しては、やっぱり怖いとばかりに空へ上っていくという奇妙な動作を繰り広げていた。俺はそんなエルナの傍《そば》に寄ると。

「やっぱり海の上では役立たずか」

「う、うるさいわねっ！　怖いものは怖いんだから仕方ないでしょ!?」

レヴィアターノは体の大半を海に沈めている。追い打ちをかけるには海上まで接近する必要がある。だが、エルナにはそれができない。集中してたのはこのためか。一撃で決めないと追撃しないといけないからな。まったく、こいつは……。

「仕方ない。役割を変えるか」

「ば、馬鹿にしないでっ！　私が本命であなたが囮！　その役割を変える気はないわ！」

そうは言いつつ、エルナはいつまでも追い打ちをかけようとはしない。

呆《あき》れてため息を吐《つ》いていると、エルナがふと何かに気づいた。それは。

「シルバー……あなたどうして私が水が苦手だと知っているの？」

あっ……。

ついついいつもの調子で会話をしてしまった。

それはシルバー史上、もっとも不注意な言葉だった。

8

まずいとかやばいとか。そういう言葉が頭によぎる前に、まず俺は〝落ち着け〟と自分に言い聞かせた。

落ち着け。落ち着けば問題ない。そう自分に何度も言い聞かせながら俺は動揺を最小限に抑え込む。自分は今、シルバーなのだ。アルノルトじゃない。

それならば弁明もいらない。むしろ弁明をしてはいけない。隠さなければならないことなど、シルバーにはないからだ。

「気になるか？」

「当たり前でしょ⁉　誰に聞いたの⁉」

「それを言う義務も義理も俺にはないな」

ふっと余裕を感じさせる笑いを浮かべながらシルバーらしい対応を心掛ける。戦闘中のエルナは危険だ。些細《ささい》な言い回しでも気づかれかねん。違和感を覚えさせたら終わりだ。エルナの性格を考えれば、今の時点では俺の正体に気づかれるわけにはいかない。

「なんですって⁉」

「ほら、動き出すようだぞ？　このままでいいのか？」

「っっ！　あとで必ず話してもらうわよ！」

「それはその時の気分だな」

上手《うま》く流してレヴィアターノに注意を向ける。

そして俺はエルナの代わりに海上近くまで降下し、体勢を整えつつあるレヴィアターノの前に立つ。

そこで小さく息を吐き、早鐘を打つ心臓を右手で押さえる。呼吸を整え、どうにか気持ちを落ち着かせる。まったく、竜よりもビビらされるとは思わなかったぞ。さすがは最強の幼馴染《おさななじみ》。まぁ俺の不注意だけど。

このあとはどうとでもなる。別に答えずに転移で逃げてもいいし、上手く話を作ってもいい。個人的な危機は去った。あとは目の前の海竜だけだ。

『おのれ……傷を負うのはいつぶりか……しかも人間に負わせられるとは』

「だから言ったはずだ。人間を舐《な》めるなと」

『一撃を喰《く》らってわかった。あの娘、魔王を斬った者の末裔《まつえい》か。憎たらしい剣を持ちおって……』

「だったらどうする？　撤退するか？」

『笑わせるな……竜が人間怖さに退くなどあってはならんのだ!!』

そう言ってレヴィアターノは大きな口を開けて咆哮《ほうこう》をあげた。

竜の咆哮。それはあらゆるモノを怯《ひる》ませる。心を砕く一撃だ。気の弱い者なら失神してしまうだろう。実際、レヴィアターノの周りにいた艦隊は大騒ぎになっている。これはまずいか。さっさと離脱してほしいんだが、まだ多数の船が戦闘海域に残っている。

『我の体に傷をつけた落とし前はつけてもらおう！』

「先に仕掛けておいて勝手だな。さすがは竜だ」

言い返しつつ、俺はゆっくりと高度をあげる。もう少し時間を稼ぐ必要があるからだ。

「女勇者。耳を貸せ」

「なによ……？」

「なぜ距離を取る？」

「あなたがいきなり私のこと海に突き落とすかもしれないでしょ……！」

警戒する猫のごとく、エルナは距離を取って体を震わせる。

この大事な局面で風呂を嫌がる猫みたいな反応をしないでほしい。まったく。

「そんなことはしない。さすがに海竜と勇者を同時に相手する自信はないのでな」

「どうだかっ！」

そう言いつつ、エルナもレヴィアターノへの警戒は緩めない。

防御魔法を使って減速させつつ、その間に俺たちはその場を離れる。

レヴィアターノは口を開くと、さきほどの水のブレスを放ってきた。

レヴィアターノのブレスは天にまで上り、雲を切り裂く。直撃したらひとたまりもないだろうな。あんなものを市街地に撃たれたら終わりだ。

「何か策があるのっ⁉」

「もう一度奴《やつ》を斬れるか？」

「無理ね。もう警戒されてるから同じ手は使えないわ。海じゃなきゃいくらでもやりようがあるけど……」

少し意気込んで海を見るエルナだが、すぐに怯んだように肩を落とす。

その間にもレヴィアターノは大量の水弾を放ってくる。俺はそれをすべて相殺しながら一つエルナに提案する。

「では海じゃなきゃどうにかなるんだな？」

「どうする気よ？」

「海を割る」

「はぁ⁉」

信じられないといった様子でエルナが叫ぶが、残念ながら本気だ。

結界で封じ込めて空に飛ばすというのも考えたが、それだと逃げられたときに面倒だ。

なんだかんだ竜だからな。翼が傷ついているが、おそらく飛ぼうと思えばまだ飛べる。

「結界で海の一部を隔離する。それなら君は問題なく戦えるだろ？」

「海のど真ん中に空っぽの箱を作るってことかしら？」

「そうなるな」

「結界を解いたら？」

「海の中だな」

淡々と告げるとエルナの顔が一瞬、恐怖にひきつる。想像してしまったんだろうな。

「嫌よ！　倒したあとに結界を解くかもしれないじゃない！」

「帝国を敵に回すようなことはしない。だいたい、帝国の騎士なら我儘《わがまま》を言ってる場合じゃないのはわかるはずだが？」

「うっ……それは……」

「俺は決め手に欠ける。魔法を詠唱しても邪魔されるだろうしな。あんまり時間をかけると被害も増えるし、これが互いのためだと思うが？」

「……あなたを信用しろと？」

「そうだな。信用してくれ」

「素顔も見せない相手をどう信用しろっていうのよ……」

エルナが俺のことを恨めしそうに睨《にら》んでくる。やめてくれ。俺が悪いんじゃない。

俺だって水恐怖症の女を海の中に向かわせたくはないが、簡単な方法がこれくらいしかない。しばらく黙っていたエルナが一言呟《つぶや》く。

「──教えなさい。私の水恐怖症を誰に聞いたの？」

「……口止めされているんだが？」

「いいから言いなさい！」

「はぁ……アルノルト皇子だ。ロンディネにいるときに情報を交換してな。そのときに聞いた」

「アルが？　あなたに？　言っておくけど、アルはなかなか人を信用しないわ。重要な情報を信用しない人間に渡すこともしない。騙《かた》っているなら容赦しないわよ？」

ひどい言い草だ。まぁたしかに言う通りではあるが。

「騙ってはいない。どうすれば信じる？」

「……アルはなんて言ったの？　あなたに私の弱点を教えるとき」

俺はしばし黙る。俺ならばエルナの弱点を教えるとき、なんと言うだろう？　どんな理由があれば弱点を他者に明かす？

　そう考えたとき、スッと言葉が出てきた。

「手のかかる幼馴染だけどよろしく頼む、だそうだ。彼なりに水恐怖症の君を心配していたんだろう」

「っ⁉」

　一瞬、エルナは顔を赤くし、そして俯《うつむ》いた。

「心配性なんだから……まったく……アルの馬鹿……」
　二、三言呟くとエルナはため息を吐き、ゆっくりと高度を下げ始めた。
「了承ということでいいかな？」

「ええ、けどあなたを信用したわけじゃないわ。あなたを信用したアルを信用しただけ。アルがあなたに私の弱点を教えていいと思ったなら……まぁいいわ。ちょっと気に食わないけど、アルなら許してあげる」

　そう言ってエルナはそのままレヴィアターノの傍まで降りていく。

　傍といってもそもそもデカいレヴィアターノだ。頭部近くに行ってもまだ海からは距離がある。しかし、エルナからすればもはや死地に近いだろう。

　さっさと始めるとするか。俺はレヴィアターノとエルナがいる場所を中心に四角い結界を形成する。そしてそれをどんどん広げていく。

海は結界に押し出されて割れていき、それによって傍にいた船たちもこの海域から離れていく。そして結界は完全に海の底までたどり着き、陸地が見えるようになった。

『ふん！　結界を張って一対一とは剛毅《ごうき》なものだ。そこまで自信があるのか？　娘よ』

「自信なんてないわよ……断言できるわ。ここは私が来た中で一番最悪な場所よ……」

エルナがそう言うのもわからんでもない。

なにせ結界で水が入ってこないとはいえ、四方を水の壁に囲まれている。エルナからすれば地獄と変わりないだろう。だが、それでもエルナは聖剣を上段に構える。

「でも、それでも……私は戦う！　私の幼馴染をこれ以上、心配させるわけにはいかないから！」

そう言ってエルナは聖剣に魔力を満たしていく。

聖剣はその魔力を光り輝く聖気に変えて、どんどん輝きを増していった。

『ぬっ⁉　これはっ⁉』

「星の聖剣よ……その力を解放せよ……我が敵を打ち滅ぼすために‼」

そう言って光が聖剣の刀身にどんどん集束していく。圧倒的光量が聖剣の刃《やいば》に集まった。

それはもはや太陽に近い。その剣を持ったまま、エルナは真っすぐ突撃する。

『舐《な》めるなっ‼』

レヴィアターノも水のブレスで迎え撃つ。

万物を斬り裂く水のブレスがエルナに迫るが、エルナはそれを聖剣で受け止める。そしてそのまま前進を続けた。

『なにぃ⁉』

「はぁぁぁぁぁぁっ‼」

聖剣はレヴィアターノの水のブレスすら斬り裂いていく。そしてエルナは加速した。

「光天集斬‼」

エルナの必殺の一撃は五十メートルを超えるレヴィアターノを一撃で両断した。

しかし、それだけじゃない。俺が張っていた結界まで易々《やすやす》と斬り裂いた。

「ちっ！」

俺は水が流れこむ結界の中に降りていくと、エルナを抱えて空へと避難する。

「ちょっ⁉　放して！」

「水の前でパニックになっていたのによく言うな、君は。ありがとうくらい言ったらどうなんだ？」

「その状態から助けるのがあなたの役目でしょ！　恩着せがましく言わないで！　だいたい、あなたの結界が柔《やわ》なのがいけないんじゃない！」

俺の結界を柔と評する奴なんて、この大陸でどれほどいるか。少なくとも初めて言われたぞ。

思わず素の調子で返しそうになるが、なんとか堪《こら》える。それにまだ終わりじゃない。

「柔で悪かったな。君が結界を壊したせいで一苦労だ」

そう言って俺は結界の穴をふさぎ、結界を海から引きあげて小さな穴を開けて中の水を出した。すると、エルナが怪訝《けげん》な様子で俺を見てくる。

「なにしてるのよ？」

「竜の体は高く売れる。しかもS級指定の竜だ。街を復興させるには十分だろう」

「あら？　討伐したから自分のモノにするのかと思ったけど違うのね」

「普通なら討伐者の物だが、今回は特殊だからな。被害を受けた国が使うべきだろう」

「ふーん……少し見直したわ。そういうことも考えているのね」

「どこぞの剣だけ振るう女勇者とは違うのだよ」

「なっ⁉」

エルナが怒りで肩を震わせる。

そんな中でも俺は崩壊した港にレヴィアターノの死体をそっと置く。

俺の意図はあとでエルナから説明してもらえばいいだろう。さて、そろそろお暇《いとま》するか。

「では俺は失礼する」

「待ちなさい！　あなた一体、アルとどんな関係なのよ⁉」

「どんな関係か……我々は共謀者だ。同じ謀《はかりごと》を描き、実践している。これ以上は本人に聞くんだな。答えてくれるかは君次第だろう」

そう言って俺は短距離の転移でアルバトロ公国の城まで飛ぶ。

トラウ兄さんを置いてはいけないと思ったからだったが……。

「え、エヴァ女史……こ、今度、自分のモデルになってくれないだろうか？　で、できれば自分を兄と想定して兄様と言ってくれると創作が捗《はかど》ります……！」

「えっ……あ、その……」

よし、置いていこう。早々に見切りをつけて俺はロンディネの部屋に舞い戻る。

速攻で服を着替え、その服に幻術をかけて荷物の中にしまう。

シルバーとしての痕跡をすべて排除したあと、俺はベッドの上で横になる。

「あー……今回も疲れたなぁ……」

そんなことを呟きながら俺は眠りにつく。なにか大切なことを忘れていた気がするが、それを考えるほどの体力も気力も残っていなかった。

9

「まずい、まずいぞ……！」

海竜が討伐されてから数日後。連絡を受けた俺はロンディネを出航し、アルバトロ公国の港まで来ていた。しかし、俺にはとんでもない不安要素があった。

「まさかあんな大事なことを伝え忘れるなんて……！」

そう、俺はレオにあることを伝え忘れた。エヴァに惚《ほ》れられたという事実だ。

あまりにもやることが多すぎて、そういう個人的なことはすっぽり抜け落ちていたんだ。

レオのことだし、なんとかうまく対応してくれていると思いたいが、いかんせん男女の色恋沙汰だ。ちょっとのことで面倒なことになりかねん。しかもエヴァは公女だしな。

レヴィアターノの出現はロンディネの艦隊が到着し、ロンディネ公王が港に上陸してからすぐだったらしい。ということはその時点でレオとエヴァが話すことはなかった。しかし、その後の数日が問題だ。エヴァの性格的に動かないというのはありえない。

「どうにか無難な対応をしててくれぇ……」

そんなことを思いながら俺はアルバトロ公国に上陸した。一応は初めて来たという設定なので物珍しそうに周りを見る。

すると出迎えに来たレオが歩いてきた。その横には。

「ンンン？」

楽しそうにレオと会話するエヴァがいた。

なんだ。何が起きてる？　どうして仲良くなってる？　どうやって仲良くなった？

これはあれか？　レオの中では女は自分に寄って来て当然という認識があるということ

か？　エヴァがアタックしてくるのも別に自然という解釈で対応したのか？　イケメンな俺すげーって実は思ってたのか？

弟のとんでもない認識に動揺していると、エヴァが挨拶をしてきた。

「お初にお目にかかります。アルノルト皇子。父が多忙なため、第一公女のエヴァンジェリナ・ディ・アルバトロがお出迎えにあがりました。どうぞ、エヴァとお呼びください」

「あ、ああ、よろしくお願いします……」

「船旅ご苦労様、兄さん。いろいろと話したいことあるけど、まず休む？」

「ああ……ちょっと衝撃を受けたからな……」

そう言って俺は用意されていた馬車に向かう。

エヴァとレオはどうやらこの後も予定があるようで、二人でどこかに行ってしまった。

ああ、悲しいなぁ。

「弟が汚れてしまった……」

「何を言っているんですか？」

「ああ、マルクか。聞いてくれ……レオが女たらしになっていた……」

「どういう思考でそういう風な結論に至ったのか気になりますが、記憶が確かならエヴァ公女を惚《ほ》れさせたのはあなたでは？」

「うん？　気づいてたのか？」

「誰でも気づきますよ。騎士たちにあなたのことを聞いて回ってましたし、あの顔は恋する乙女の顔です」

「なるほど。そんなにわかりやすかったのか」

ということはと、俺はマルクの顔をまじまじと見る。

「お察しのとおりです。私のほうからレオナルト皇子に伝えておきました」

「おー、有能か？」

「今まで無能と思っていたんですか？」

「そういうわけじゃないけどな。いやぁ、そうかそうか。助かったぁ……それだけが心配事だったんだ」

「それは良かったです。次の問題は私にはどうすることもできなかったので。でも、皇子が心配していないなら私としても気が楽です」

そう言ってマルクは馬車のドアを開けた。すると中には明らかに不機嫌そうなエルナが待っていた。一瞬、ガチで逃走という選択肢が浮かんだが、転移魔法でも使わなきゃエルナから逃げきれないためすぐに諦める。

「……マルク。心配事が増えた」

「なんでしょうか？」

「聞いて驚け。俺の命が危険だ」

「いつものことです。死にかけたらまた助けてさしあげますから安心してください」

「いつものことってのがおかしいだろ!?　だいたい、即死じゃ助けようがないだろ!?」

「大丈夫ですよ。手加減してくれますから」

そう言ってマルクは俺の背を押す。抵抗すらできず俺は馬車の中に入れられ、エルナと二人きりにされた。

「……よ、よう……」

「……」

エルナは黙ったままだ。これは完全に怒ってるな。理由はわかる。シルバーに弱点を教えたからだろう。

ジッと睨《にら》まれ、俺は居心地の悪さを覚えながらエルナの前に腰かけた。だが、エルナに隣に座るように視線で促されたので、恐る恐るエルナの隣に座った。

見た限り遮音結界が張ってある。密談するときに使われるものだ。

これは突っ込んだ話がくるなぁ、なんて思っているとエルナが口を開いた。

「なにか言うことは？」

「うーん、怪我《けが》はないか？」

「っ!?　け、怪我なんてするわけないでしょ！　私を誰だと思ってるのよ!?」

微《かす》かに顔を赤くしてエルナが大きな声を出した。

予想とは違った言葉だったようで、エルナは小さな声で、調子狂うわね……、と呟《つぶや》く。

「お前だって怪我くらいするだろ？　たしかに普通の人よりは確率は低いかもしれないけどさ。それに今回は海が主戦場になるのは目に見えてた。だから心配でな。お節介かもしれないが、シルバーにお前のことを頼んだんだよ。気に障ったなら謝る。悪かった。けど、お前のこと心配するのは俺くらいだろ？　大事な幼馴染《おさななじみ》なんだし、心配くらいさせろよ」

「なによ……そういう言い方は卑怯《ひきょう》だわ……怒ったら私の器が小さいみたいじゃない」

「いや、お前の器は小さいだろ。何をいまさら」

「アル～？　余計なこと言うと舌を斬り落とすわよ～？」

「はい……余計なことは言いません……」

腰の剣を微かに抜いて、エルナが笑顔で脅してきた。その迫力は竜の咆哮《ほうこう》並みであり、あれと同じように今のエルナを前にしたら気の弱い者なら失神してしまうだろうな。

しかしビビる俺とは裏腹に、なんだかエルナの表情は晴れやかだ。馬車に乗ったときはずっと気難しい表情を浮かべてたのに。

今は機嫌がよさそうにも見える。

「まぁいいわ。あの仮面冒険者に私の弱点を伝えたことは不問にしてあげる。けど、私が気に入らないのはそっちじゃないのよ？　何が言いたいかわかる？」

そう言ってエルナは真っすぐ俺を見つめてくる。

さきほどまでは言い方が悪いが、拗《す》ねているような感じだったが今は違う。

心配と微かな怒りが混じった視線を受けて、俺はため息を吐《つ》く。

「シルバーはどこまで話した？」

「あなたとシルバーが共謀者だって言ってたわ。私の弱点を言うくらいだし、相当信用してるんでしょ？　一体、あなたたちは何をしようとしてるの？」

「……言わなきゃ駄目か？」

「駄目よ。言わないなら馬車から降ろさないから」

「そうか……じゃあ仕方ないな……俺とシルバーはレオを皇帝にするっていう共通の目的を持ち、互いに暗躍してる」

「暗躍……？」

「そう。お前が嫌いな暗躍だ。俺は皇族としての立場を、向こうはSS級冒険者としての立場をそれぞれ使い、ときには偶然を装って味方を増やしてる。クライネルト公爵家もそうやって味方に引き込んだ」

俺がレオを皇帝にしようとしていることはエルナは知っている。

もちろんほかの三人と勢力争いをしていることも。しかしそれはあくまでレオの補佐だ。

それとは別にSS級冒険者と裏で繋《つな》がり、そんなことをしているとはエルナは思ってもみなかったんだろう。言葉を失っている。

「東部で吸血鬼騒動が起きたときも、俺はシルバーと連絡を取り合っていた。今回もそうだ。あいつはレオのために動いてくれている。ただ、レオとシルバーが直接繋がっているのはさすがに目立つからな。隠《かく》れ蓑《みの》としての俺ってわけだ」

「……そのことをレオは知っているの？」

「一応は伝えてある。けど、思った以上にあくどいことをしてることは知らない。今回だってシルバーは南部にいた。それでも帝位争いを有利に運ぶために、俺が帝都に向かうことを要請した。そしてフィーネたちと連絡を取ってもらい、ほかの三人が軍を率いることを阻止してもらった。俺は帝位争いを優先させ、多くの犠牲者を出したわけだ」

「……それはやっぱり生きるため？　本気で……あなたの兄上や姉上があなたやレオを殺すと思っているの？」

それはエルナの最終確認だった。かつて俺はエルナにそのことを伝えたが、それでもエルナの中では疑わしい気持ちが残っていたんだろう。暗殺されかけたという俺の言葉も、どこか本気にしていなかった気がする。脅しだと受け取っていたんだろう。

少なくとも、エルナが俺たちといた頃。つまり皇太子が生きてた頃はそういう風潮はなかった。エリクは皇太子と共に切磋琢磨《せっさたくま》していたが、誰かを殺そうと考えるような兄じゃなかったし、ゴードンも武人として一直線な男だった。ザンドラも魔導師としての修練に励んでいた。

そう、あの頃は平和だった。だが、皇太子が死んだことで帝位が空いた。皇太子という巨大な蓋で抑えられていた三人の野望が溢《あふ》れてしまったのだ。

そして何年も帝位争いをしているうちに彼らは優しさを失った。断言してもいい。

「あいつらは必ず俺とレオを殺す。そして周りの者たちも……。だから俺はどんな手を使ってもレオを皇帝にする。祭りのときに言ったな？　関わるなと。そろそろ危ないラインだぞ。これ以上、俺たちに肩入れすればお前はもちろんアムスベルグ勇爵家も敵とみなされる。お前はそれでいいのか？」

「……アムスベルグ勇爵家は政治には関わらない……昔からそう教えられてきたわ。剣でいるのだと」

「ああ、賢明だ。良くも悪くも勇爵家は強すぎる」

「でも……私は決めていることがあるの、アル。昔からずっと私は絶対に譲らないと決めていることがあるわ」

「それはなんだ？」

エルナは深呼吸をする。何かとんでもないことを言おうとしている気がする。

だが、止めることはできない。エルナを止めるなんてできたためしがないからだ。

「私はアルを見捨てない。子供の頃にそう誓った。この誓いはたとえ皇帝陛下が相手でも譲らないわ。あなたが本気でレオを帝位につけると言うなら私はあなたに協力するわ。あなたが何でもするって言うなら私もなんでもする。家が邪魔なら家名を捨ててもいいわ。私は私の誓いを何よりも優先するの」

「……近衛《このえ》騎士失格だな。勇爵家の跡取りとしても。いいのか？」

「私は頑固者よ。よく知ってるでしょ？」

「まぁな……正直、お前がそこまでの覚悟で協力してくれるならありがたい。けど、しばらくは大人しくしててくれ。勇爵家が全面的に味方についたら俺たちは最大勢力となる。そしたら総攻撃を喰《く》らいかねん」

「それぐらい私にもわかるわよ。バレないように協力するわ」

「お前には無理だと思うけどなぁ」

「馬鹿にしないで！　ちゃんとやれるわよ！」

そう言ってエルナは胸を張る。どうにもその姿は頼りない。

だが、それでいいんだろう。エルナは剣だ。生かすも殺すも扱う者《俺》次第だ。

「うん！　すっきりしたわ！　そうと決まれば頑張りましょ！」

「だからとりあえず今は頑張るなって……」

「いいじゃない。意気込むくらい。あ、そうだ。もうちゃんとした協力者になったんだから、隠し事はなしよ。私に隠してることないでしょうね？　あったら今言いなさい。今なら許すわ」

「うーん……ああ。お前が近衛騎士になったお祝いで真珠贈っただろ？」

「ええ、アルがわざわざ四方を駆けまわって探してくれたのよね？」

「あれ、面倒だからレオに買いにいかせたん、ごほっ!?」

「最低！」

思いっきり腹部を殴られて、俺は馬車の中で悶絶《もんぜつ》する。

許すって言ったじゃないか……。

だが、それは言葉にならない。痛みに顔をしかめながら、俺はどうにか大事な部分を誤魔化《ごまか》せたことに安心する。

どうにか俺とシルバーが同一人物ということはバレずに済んだし、流れでエルナの全面的な協力も得られることとなった。

この南部で得られたモノは大きかったな。

そう思いつつ、俺は帝都に戻ったときのことを警戒する。

レオは今回、大手柄だ。

おそらく褒美も貰《もら》えるだろう。そうなれば父上の認識も変わってくる。

新興勢力から三人と肩を並べる四人目と見られるだろう。

そうなれば今までこちらを大して危険視していなかったエリクも動き出す。

これから帝位争いはより苛烈さを増す。

今回のような不注意は許されなくなる。
腹部の痛みを教訓としながら、俺は自らを戒めるのだった。

エピローグ

Epilogue

帝都に戻った俺はいろんな人の出迎えを受けたあと、自分の部屋に戻ってくることができた。セバスが周りを警戒しているため、ここでは息を抜ける。そんな俺の部屋に当然のようにいるのがフィーネだ。

ソファーに体を預け、深く息を吐くを俺を、フィーネはニコニコと見つめながら紅茶を淹《い》れてくる。なんということのない日常ではあるが、それがたまらなく安心する。

「帰ってきたぁ……」

「ふふ、お疲れ様です」

そう言ってフィーネは紅茶を俺に差し出し、機嫌よさそうに俺の近くに立っていた。どうしてそこまで機嫌がいいのかわからず、俺は紅茶を飲みながら訊《たず》ねた。

「機嫌良さそうだな？」

「機嫌が良いですか？　そうですね。良いと思います」

「何かあったか？」

「アル様が帰ってきてくれました」

「？　そりゃあ帰ってくるさ。ここは俺の部屋だからな」

「はい。ここがアル様が帰ってくる場所です。アル様、私はエルナ様のようにアル様を守ることはできません。リンフィアさんのように頭もよくありません。きっとこれからも大してお役には立てないでしょう」

「フィーネ……？」

　まだそんなことを気にしているのかと俺はフィーネを見るが、その顔は悲観的なものではなかった。むしろ明るい表情だったため、俺は困惑する。

「なので私は私にできることをしようと思います。ここはアル様がアル様に戻れる場所。無能な皇子でもなく、帝国最強の冒険者でも、ただのアル様に戻れる場所です。だから私はここにいます。ありのままのあなたの傍《そば》にいます。あなたに心地よい空間を提供できるように頑張ります。行ってらっしゃいと言って、お帰りなさいと言います。ご武運をと言って、お疲れ様でしたと言います」

「……そうしてくれ。それだけで俺は救われる」

「はい。私は鳥です。あなたを立ち木としてこの場に留《とど》まります。ですからちゃんと帰ってきてくれると嬉《うれ》しいんです。帰ってきてくれないと留まれません。ですから、帰ってきてくださいね？　これからもこの場所に」

「面白いことを言うな？　まぁそういうことなら頑張るよ。出涸《でが》らし皇子でもなく、シルバーでもなく、ただのアルノルトが必要だと言われたら……帰ってこないわけにはいかないからな」

そう俺が答えるとフィーネは柔らかな笑みを浮かべる。そしてゆっくりと俺が無造作に置いていた手に自分の手を重ねる。

「いつか……この部屋以外でアル様がアル様らしくできる日が来るでしょうか……？」

「どうかな……。最低限、帝位争いを勝って終わらなくちゃだし、勝ってレオが皇帝になったとしても、無能でいたほうが安全だ。大臣や貴族に目をつけられずに済むからな」

「そうですか……」

フィーネはそう言って目を伏せる。悲しそうなその顔を見て、俺はフィーネの手を握った。

「大丈夫。それならそれでいい。命を狙われるよりはマシだし、俺には君がいる。君が秘密を共有してくれているなら何の問題もないさ」

「ですけど……私はいつかアル様が帝国中に認められて欲しいです」

「それはそれで面倒だ。功績を認められてしまえば、仕事を押し付けられる。俺は一生分の勤勉さをこの帝位争いで使ってる。終わったら適当に生きると決めてる。だから必要ない。親しい者には打ち明けるかもしれないけれど……その程度さ。俺はそれで満足なんだ」

　ほかには何もいらない。帝位争いが始まる前と変わらない日常が欲しいだけだ。その日常のために頑張っている。

「君もレオもエルナも、親しい人がみんな傍にいて、笑っているならそれでいい。俺はそれをぐうたらしながら眺めていたい。そのために今、頑張るんだ。誰も死なせない。何が相手であろうと」

　そう告げると俺はフィーネの手を強く握った。きっと怖いんだろう。何かを失うことに耐えられるほど俺は強くない。帝位争いに加わってから守るモノはどんどん増えていく。

　シルバーとしてただモンスターを討伐していた頃は気楽だった。古代魔法でモンスターを吹き飛ばせばいいだけだった。でも今は違う。

　魔法だけじゃ解決できない問題が俺の前には山積みで、一つミスすれば誰かが傷つき、倒れていく。

「アル様。私はアル様を信じています。きっとレオ様やエルナ様も一緒です。だから一緒に頑張りましょう。あなたは一人ではないのですから」

　フィーネはそう言って笑いかけてきた。そこでようやく、気を抜くべき場所でも気を張っていたことに気づく。休むときは休まなきゃいけない。そんなことにも気づけないなんて、俺もまだまだだな。

「すまない……」

強く握っていたフィーネの手を俺は離す。そしてソファーに深くもたれながらフィーネにお願いをした。

「もう一杯貰えるかな？」

「はい。もちろんです」

「……今回は精神的にきつかったよ。実はレオと入れ替わったんだ」

「レオ様とアル様が？　どうでしたか？　レオ様になった感想は」

「二度とごめんだ」

「ふふ、アル様らしいですね。レオ様も同じことを思っていそうです」

「そうだろうさ。あいつは真面目だからな」

そんな他愛《たあい》のない話をしながら俺は南部での出来事をフィーネと共有する。

彼女は秘密の共有者。良いことも悪いことも一緒に共有してくれる。俺を支える人なのだから。

■■■

「まったく……とんだ無駄骨になったな」

そう言って不機嫌そうな表情を浮かべるのは第三皇子のゴードンだった。その周りにはゴードンの側近たちが集まっていた。

「冒険者ギルドの職員から多額の金品で情報を引き出したというのに、結局は艦隊派遣に至らずでしたからね。殿下の提案さえ通っていれば戦争だったというのに……忌々しい」

そう吐き捨てたのは小太りの軍人だった。この場にいるのは軍部のタカ派の主要人物たちだ。自らの栄達を望み、他国との戦争を引き起こそうとするものだ。

「陛下は皇太子殿下が亡くなられてからというもの、弱腰になられた。そのせいで帝国の武威は衰えたと各地で噂《うわさ》されている……」

「弱みを見せれば付け込まれる！　それが大陸三強の関係性だ！　帝国は強くあらねばならない！　ゴードン殿下が皇帝位を継ぎ、強国である帝国を覇権国家へと導く！　それこそが帝国のためだとなぜ気づけんのだ！」

「まったくだ！　特にレオナルト皇子の一党だ！　後からしゃしゃり出てきた分際でありながら、騎士狩猟祭も今回もゴードン殿下の邪魔をし、良いところばかりを奪っていく！　陛下は褒美を与えるだろう！　結局、問題を解決したのは勇爵家の神童とシルバーだというのに！」

「ゴードン殿下が艦隊と共に出撃していれば、問題の解決に加えて南部の領土も奪えたというのに……あの場にいたというだけでレオナルト皇子は手柄を手に入れた。納得できん！」

ゴードンの側近たちは口々に不満を述べる。それを聞いていたゴードンだが、フッと笑って告げる。

「まぁいい。収穫もあったからな」

「収穫ですか？」

「ああ、前回と今回の一件。どちらもシルバーはレオナルトに肩入れしている。奴《やつ》はどうやらレオナルトを気に入ったらしい。奴らが急速に勢力を伸ばせたのもシルバーのおかげだろう」

「ＳＳ級冒険者が帝位争いに加わるなど許せません！」

「ふん、気にするほどではない。シルバーは馬鹿ではない。自分が古代魔法の使い手であり、危ういバランスの上に立っていることは理解しているはずだ。だから奴は表立ってレオナルトの味方はしたりしない。できるのは問題が起きてからの対処だが……それでは時すでに遅しだ。帝位争いは目まぐるしく変化する。奴らの快進撃もここまでだ。結局のところ、戦争さえ起こせば俺の勝ちなのだからな」

「その通りです！　さすがはゴードン殿下！」

「エリク皇子との差も戦功でいくらでも覆せます！　レオナルト皇子やザンドラ皇女など相手をするまでもありますまい！」

「そうだ。俺は軍人。ほかの三人とは違う。戦場こそが俺の生きる場所であり、その場所さえ生み出せれば帝国は俺のモノだ」

そう言ってゴードンは笑う。文官を主だった支持勢力とするエリクとまともな勢力争いをするのはゴードンには分が悪かった。

ならば相手の得意なところで戦うことはない。戦争で大事なのは自分の得意な場所、状況に相手を引きずりこむこと。

「例の組織に依頼した兵器はどうなっている？」

「その件でしたら経過は順調とのことです。完成まではもう少しお待ちください」

「焦ることはない。帝国には敵が多い。いずれ戦争は起きる。そのときに父上が頼るのは俺だ。混乱した情勢で求められるのは強い皇帝だ。すべては俺に味方している。どんな手を使ってでも軍備を強化せよ。帝国軍を俺が率いるに相応《ふさわ》しい軍にする。そのために怪しい組織を利用するのも策というものだ」

そう言ってゴードンは笑みを浮かべる。自信満々なその表情には自分が負けるという危機感は一切なかった。

「気をつけるべきはエリク皇子。それと第一皇女ですね」

「ふん、あの女は皇太子が死んでから牙を抜かれたも同然だ。恐れるに足りん」

そう言ってゴードンは慎重な意見を切って捨てた。しかし、その意見を告げた部下はそれでも言葉を続ける。

「ですが……軍部にはいまだに第一皇女を慕う者も多いですし、たとえ戦争を起こしてもあの皇女に戦功を持っていかれる可能性も……」

「俺があの女に劣ると言うのか？」

そう言ってゴードンは怒りの表情を浮かべて立ち上がる。その手は近くに置かれた剣を摑《つか》んでいた。

ゴードンの逆鱗《げきりん》に触れたと悟った部下は、声を震わせながら後ずさる。

「も、申し訳ありません……!!　お、お許しを！」

「つまみ出せ。見る目のない部下などいらん」

「お、お待ちください！　私はただ警戒すべきだと言いたかっただけで！」

「それが余計なのだ」

そう言って慎重な意見を口にした部下は外に連れ出された。それを見て、ゴードンは乱暴な動作で椅子に座る。

「東部の国境に籠る女など俺の敵ではない。俺が皇帝になれば真っ先に処刑してやる。皇族に二人の将軍はいらん」

そう言ってゴードンは傲慢な笑みを浮かべ、今後のことについて側近たちと話すのだった。

そんな中、最大勢力を持ちながら積極的な動きを避ける最有力候補、エリクは静かにグラスを傾けていた。

「ゴードン皇子がまた一人、部下を排除したようです」

「そうか。相変わらずだな」

自らの情報網からゴードンの行動を知ったエリクは薄く笑う。

「自分の意にそぐわない部下を残らず排除していけば、周りにはイエスマンしかいなくなる。愚かだな。ゴードン」

「しかし何やら企《たくら》みがある様子。どうされますか？」

「放っておけ。どうせ下で潰しあう。私の相手は勝ち抜いてきた者だけだ」

そう言ってエリクはグラスに入った酒を飲み干し、静かにそれを机に置く。その机にはゴードン、ザンドラ、レオナルトの名前が書かれた札が置かれていた。

「さて、私の相手は誰になるかな？　まぁ誰が相手でも変わらんが」

余裕の表情を崩さず、エリクは呟《つぶや》く。ゴードンのような傲慢さはそこにはなく、あるのはただの冷静な判断だけだった。最大勢力を有するエリクにとって、帝位争いなど通過点。自らが皇帝になるのはエリクにとっては決定事項なのだ。

こうして帝位候補者たちの思惑が交差し、帝位争いはさらに混迷を極めようとしていた。

最強《さいきょう》出《で》涸《が》らし皇子《おうじ》の暗躍《あんやく》帝位《ていい》争《あらそ》い2
無能《むのう》を演《えん》じるSSランク皇子《おうじ》は皇位継承戦《こういけいしょうせん》を影《かげ》から支配《しはい》する

著　タンバ

角川スニーカー文庫　21926

2020年1月1日　初版発行

発行者　三坂泰二

発　行　株式会社KADOKAWA
〒102-8177 東京都千代田区富士見2-13-3
電話　0570-002-301（ナビダイヤル）

印刷所　株式会社暁印刷
製本所　株式会社ビルディング・ブックセンター

Printed in Japan　ISBN 978-4-04-108530-1　C0193

★ご意見、ご感想をお送りください★
〒102-8078 東京都千代田区富士見 1-8-19
株式会社KADOKAWA　角川スニーカー文庫編集部気付
「タンバ」先生
「夕薙」先生

角川文庫発刊に際して

角川源義

第二次世界大戦の敗北は、軍事力の敗北であった以上に、私たちの若い文化力の敗退であった。私たちの文化が戦争に対して如何に無力であり、単なるあだ花に過ぎなかったかを、私たちは身を以て体験し痛感した。西洋近代文化の摂取にとって、明治以後八十年の歳月は決して短かすぎたとは言えない。にもかかわらず、近代文化の伝統を確立し、自由な批判と柔軟な良識に富む文化層として自らを形成することに私たちは失敗して来た。そしてこれは、各層への文化の普及滲透を任務とする出版人の責任でもあった。

一九四五年以来、私たちは再び振出しに戻り、第一歩から踏み出すことを余儀なくされた。これは大きな不幸ではあるが、反面、これまでの混沌・未熟・歪曲の中にあった我が国の文化に秩序と確たる基礎を齎らすためには絶好の機会でもある。角川書店は、このような祖国の文化的危機にあたり、微力をも顧みず再建の礎石たるべき抱負と決意とをもって出発したが、ここに創立以来の念願を果すべく角川文庫を発刊する。これまで刊行されたあらゆる全集叢書文庫類の長所と短所とを検討し、古今東西の不朽の典籍を、良心的編集のもとに、廉価に、そして書架にふさわしい美本として、多くのひとびとに提供しようとする。しかし私たちは徒らに百科全書的な知識のジレッタントを作ることを目的とせず、あくまで祖国の文化に秩序と再建への道を示し、この文庫を角川書店の栄ある事業として、今後永久に継続発展せしめ、学芸と教養との殿堂として大成せんことを期したい。多くの読書子の愛情ある忠言と支持とによって、この希望と抱負とを完遂せしめられんことを願う。

一九四九年五月三日